CadiGoch
a'r Ysgol Swynion

Simon Rodway

Hoffwn ddiolch i Eurig Salisbury ac i Caryl Lewis
am eu beirniadaeth a'u cyngor, i Meinir Wyn Edwards
ac i wasg y Lolfa, ac i'm teulu, yn enwedig i Manon
am fy ysbrydoli i ysgrifennu'r stori yn y lle cyntaf.

Argraffiad cyntaf: 2021
© Hawlfraint Simon Rodway a'r Lolfa Cyf., 2021

Cynllun y clawr: Sion Ilar

Rhif Llyfr Rhyngwladol: 978 1 80099 057 9

Dymuna'r cyhoeddwyr gydnabod cymorth ariannol
Cyngor Llyfrau Cymru

Cyhoeddwyd ac argraffwyd yng Nghymru
ar bapur o goedwigoedd cynaliadwy gan
Y Lolfa Cyf., Talybont, Ceredigion SY24 5HE
e-bost ylolfa@ylolfa.com
gwefan www.ylolfa.com
ffôn 01970 832 304
ffacs 01970 832 782

CadiGoch

a'r Ysgol Swynion

I Manon ac Idris

1

Miss Cilcoed

UN PNAWN, A Cadi newydd gyrraedd adre ac yn bwyta afal wrth ford y gegin, dwedodd Sandra wrthi:

'Newyddion drwg, Cadi. Mae'r ysgol yn mynd i gau wedi'r cwbwl. Ges i alwad gan Mrs Thomas neithiwr.'

Teimlai Cadi fel petai rhywun wedi ei bwrw yn ei stumog. Rhoddodd hi'r afal i'r naill ochr. Yn sydyn, doedd dim chwant bwyd arni. Roedden nhw wedi brwydro i achub Ysgol Llanfair ers misoedd. Roedd cyfarfodydd wedi'u cynnal yn lolfa Cadi gyda'r nos, a rhieni ei ffrindiau wedi tyrru yno, wedi'u cynhyrfu'n lân, gan daeru na fydden nhw byth yn gadael i'r fath beth ddigwydd, dim i'w hysgol nhw, *byth*. Roedd Cadi wedi gwrando o'r landin ar leisiau'r oedolion, rhai'n flin, ac eraill dan deimlad. Codai hynny ofn arni, rywsut, ond bob tro y siaradai hi â Sandra neu Dad, bydden nhw'n dweud:

'Paid becso, bach: maen nhw wedi bygwth cau'r ysgol

o'r blaen, ond wnaethon nhw ddim. Bydd pob dim yn iawn, gei di weld.'

Byddai hi wastad yn teimlo'n well wedyn. Un noson cafodd hi a'i brawd bach Gethin aros lan yn hwyr i helpu i lunio placardiau'n dweud 'Peidiwch â Chau ein Hysgol', 'Leave Our School Alone' a phethau felly gyda phinnau ffelt. Roedd y plant a'r rhieni wedi mynd â'r placardiau mewn bws mini i Aberaeron i brotestio o flaen Adeilad y Cyngor Sir. Roedd hynny wedi bod yn gyffrous: pawb yn canu 'Bing Bong', 'Sosban Fach' a 'Calon Lân' ar y bws, gyda Miss Jones Cae'r Allt yn cyfeilio ar y gitâr. Roedden nhw wedi gweld heddlu mewn siacedi llachar, a newyddiadurwyr â chamerâu. Cafodd Cadi a'i ffrind gorau eu llun yn y *Cambrian News* uwchben y geiriau: 'Llanfair pupils Cadi Williams, 9, and Cadi Jenkins, also 9, say "hands off our school".'

Ie, Cadi oedd enw ffrind gorau Cadi: Cadi Jenkins, a bod yn fanwl, ond byddai pawb yn ei galw hi'n Cadi Ddu, oherwydd bod ei gwallt fel plu'r frân, a'n Cadi ni, Cadi Williams, yn Cadi Goch, am fod ei gwallt hi fel gwallt y tegan *leprechaun* gafodd Gethin gan Dad pan aeth i Ddulyn i wylio'r rygbi un flwyddyn. Gwallt brown oedd gyda Sandra a Gethin, a doedd dim gwallt o gwbl gyda Dad: 'Shiny' roedd bois y clwb rygbi yn ei alw fe. Torrodd Mam-gu'r llun allan o'r papur newydd a'i sticio ar y wal â blw-tac. Yna daeth rhywun enwog – doedd Cadi erioed wedi clywed amdani o'r blaen – i siarad mewn rali yn y pentre: roedd Dad wedi'i gyffroi'n lân a chafodd e *selfie* gyda hi yn y sgwâr. Aeth Sandra i mewn i'r stiwdio radio yn Aberystwyth un diwrnod i siarad. Roedd hi'n rhyfedd clywed ei llais ar y radio, meddyliodd Cadi. Roedd hi wedi gwrando ar y rhaglen ar y we gyda Dad ar ôl yr ysgol. Aeth Sandra drwodd i'r gegin.

'Mae'n gas gen i glywed fy llais fy hunan,' meddai hi.

Roedd Cadi wedi mwynhau'r ymgyrch yn fawr. Roedd pawb yn y pentre wedi bod yn fwy cyfeillgar â'i gilydd na'r arfer: wel, pawb ond Mr James Pen-y-Banc, oedd wedi bod yr un mor sarrug ag erioed. Roedd y cyfan wedi bod fel antur fawr, a doedd hi erioed wedi ystyried o ddifri y byddai'r ysgol yn cau go iawn. 'Bydd pob dim yn iawn', dyna beth oedd Sandra a Dad wedi'i ddweud o hyd. A nawr, dyma Sandra yn cyhoeddi bod popeth wedi bod yn ofer.

'Ond all hi ddim cau,' meddai Cadi. 'All hi ddim!'

'Dwi'n gwbod, cariad,' meddai Sandra, gan fwytho ei chefn. 'Mae'n siomedig iawn, ond 'na ni, mae'r penderfyniad wedi'i neud. Sdim byd allwn ni neud nawr.'

'Ond wedest ti bydde popeth yn iawn!' meddai Cadi, ei bochau'n fflamio. Yn sydyn roedd hi'n gandryll â Sandra, er y gwyddai nad oedd hynny'n deg o gwbl.

'Bydd popeth yn iawn,' meddai Sandra, 'gei di weld. Ffindiwn ni ysgol newydd i ti. Galli di fynd i'r ysgol yn

Aberystwyth: gall Dad fynd â ti yn y bore ar ei ffordd i'r gwaith. Byddai hynny'n ddigon handi, a gweud y gwir.'

'Sai moyn mynd i ysgol arall,' gwaeddodd Cadi. 'Dwi moyn mynd i Ysgol Llanfair.'

A chyda hynny, cododd a rhuthro lan staer i'w stafell gan gau'r drws yn glep y tu ôl iddi. Taflodd ei hunan ar ei gwely, cydio yn ei hoff dedi a llefain y glaw. Allai hi ddim dychmygu mynd i ysgol arall. Ysgol Llanfair oedd ei hysgol hi, a dyna ni. Roedd hi'n nabod pob twll a chornel, roedd hi'n nabod pob un o'r deunaw o blant, a phob un aelod o'r staff. Roedd Mr Ebenezer yn hen, yn dew, yn farfog, ac yn garedig, yn union fel Siôn Corn, ac wedi dysgu tad Cadi flynyddoedd maith yn ôl. Doedd e ddim mor hen bryd hynny. Roedd meddwl am ysgol fawr, gyda channoedd o ddisgyblion a dwsinau o athrawon, yn ddigon i wneud iddi deimlo'n sâl.

Yn sydyn, clywodd sŵn rhyfedd, fel petai rhywbeth yn crafu'n erbyn ffenest ei stafell wely. Sychodd ei llygaid â chefn ei llaw, ac edrych i fyny. Roedd jac-do yn sefyll ar sil y ffenest, ei blu mor ddu â gwallt Cadi Ddu, yn syllu arni â llygad gwelw, craff. Rywsut, aeth Cadi i deimlo'n anghyfforddus, felly cododd ar ei heistedd a chwifio ei breichiau i'w ddychryn i ffwrdd. Ond, er mawr syndod iddi, ni symudodd fodfedd. Arhosodd yn union lle roedd e, gan rythu arni o hyd.

'Shŵ!' meddai Cadi, gan chwifio ei breichiau eto, ond roedd yr aderyn yn hollol lonydd.

Y funud honno, clywodd Cadi gnoc tawel ar y drws, a llais caredig Sandra yn dweud:

'Ga i ddod i mewn, Cadi?'

Snwffiodd Cadi, a sychu ei hwyneb yn frysiog.

'Cei,' meddai'n floesg.

Taflodd gip sydyn ar y ffenest, ond roedd y jac-do wedi mynd. Agorodd y drws, a dyna lle roedd Sandra, a golwg bryderus ar ei hwyneb pert. Roedd hi'n edrych yn flinedig hefyd, meddyliai Cadi. Llysfam Cadi oedd Sandra. Bu farw mam go iawn Cadi, Gwen, pan oedd hi'n fabi, a doedd Cadi ddim yn ei chofio o gwbl. Doedd hi ddim hyd yn oed yn gwybod sut oedd hi'n edrych, achos doedd hi erioed wedi gweld llun ohoni. Roedd wedi gofyn i'w thad unwaith pam nad oedd dim lluniau o'i mam, ac edrychodd Dad arni'n syn fel pe na bai wedi meddwl am y peth o'r blaen.

'Mae'n rhaid bod rhai yn rhywle,' meddai'n ddryslyd. 'Doedd Gwen ddim yn lico cael tynnu ei llun, dwi'n gwbod hynny. Eto, mae'n rhaid bod ambell i un i gael yn rhywle...'

Ond doedd dim. Y cwbl roedd Cadi'n gwybod oedd bod gan Gwen wallt coch fel gwallt Cadi, a'i bod hi'n hardd iawn. Doedd Dad ddim yn hoff o siarad amdani: roedd yn ei wneud yn drist, siŵr iawn. Roedd Cadi'n teimlo'n drist hefyd bod ei mam wedi marw, er nad oedd yn ei chofio. Byddai hi'n breuddwydio amdani weithiau, er na fyddai byth yn gweld ei hwyneb yn y breuddwydion. Roedd ei thad wedi ailbriodi pan oedd Cadi'n dal yn blentyn bach. Doedd hi ddim yn cofio bywyd heb ei llysfam o gwbl, mewn gwirionedd. Roedd Sandra bob tro'n garedig ac yn famol tuag at Cadi. Eto i gyd, ar ôl i Gethin gael ei eni, teimlai Cadi weithiau bod Sandra'n ei ffafrio fe, gan mai ei phlentyn go iawn hi oedd Gethin. Gallai Gethin fod yn gas ambell waith hefyd yn ei dymer, yn ei hatgoffa nad oedd ganddi fam go iawn. Pan ddwedai hynny, byddai Cadi'n teimlo fel petai pwll mawr o dristwch wedi cronni y tu mewn iddi, ond doedd hi ddim am ddangos hynny. Weithiau byddai mor grac gyda Gethin fel y byddai'n anelu cic ato, ac wedyn byddai'n cael row.

Daeth Sandra i mewn i'r ystafell, ac eistedd gyda Cadi ar y gwely. Pwysodd Cadi yn ei herbyn a gwynto ei phersawr, yr un roedd hi wastad yn ei wisgo. Roedd hyn yn gysur iddi.

'Dwi'n gwbod bod ti'n siomedig,' meddai Sandra. 'Ni i gyd yn siomedig. Ond fydd pethe ddim yn ddrwg i gyd. Cyfle i neud ffrindie newydd. Ac wrth gwrs bydd Cadi a'r lleill yn symud gyda ti.'

'Beth am Tom Jarvis?' meddai Cadi.

Roedd Tom Jarvis yn hen fwli cas. Byddai Tom, a'i ffrind Kevin Burgess, yn plagio'r merched yn ddi-baid. Roedd Kevin yn iawn ar ei ben ei hunan, mewn gwirionedd, pan oedd Tom yn absennol o'r ysgol, ond pan oedd Tom yno, byddai'n ei ddilyn fel ci bach ffyddlon a'i gopïo bob cam.

'O, sdim isie becso amdano fe, cariad,' meddai Sandra. ''Sen i'n meddwl bydd ei fam yn ei hala fe i ysgol Saesneg. Roedd hi wastod yn conan bod gormod o Gymrâg yn ysgol ni. Beth bynnag, dim ond am flwyddyn fyddi di yno, cyn symud i'r ysgol fawr.'

Roedd Cadi'n gwybod bod Sandra yn trio ei chysuro, ond rywsut gwnaeth hyn iddi deimlo'n waeth. Doedd hi ddim yn hoff o newid. Roedd hi'n dymuno i bethau aros yn union fel yr oedden nhw am byth. Doedd dim modd iddi wybod bryd hynny bod popeth ar fin newid yn llwyr.

'Iawn 'te, blodyn,' meddai Sandra. 'Beth am i ni gael pitsa a hufen iâ i swper heno? Bydd hynny'n helpu, bydd?'

Nodiodd Cadi yn fud. Cusanodd Sandra dop ei phen. Cododd a gadael yr ystafell. Oedodd wrth y drws.

'Dere lawr pan ti'n barod, cariad,' meddai.

Gorweddodd Cadi ar y gwely, a syllu ar y nenfwd. Ond yn sydyn, clywodd sŵn a barodd iddi godi ar ei heistedd: sŵn crafu wrth y ffenest eto. A dyna lle roedd y jac-do, yn pipo arni ag un llygad gwelw.

★★★

Gwelodd Cadi'r jac-do'n aml dros y dyddiau nesaf. Rywsut, roedd hi'n siŵr mai'r un un oedd e, er bod pob jac-do'n edrych yr un fath. Pan agorai'r llenni yn y bore, byddai'n eistedd ar y lein ddillad yn yr ardd. Pan gyrhaeddai'r ysgol yn y bore, byddai'n eistedd ar gangen yr hen onnen ar bwys y gât, ac un diwrnod, pan aeth am dro ar ei beic ar ôl yr ysgol, roedd hi'n sicr ei fod e'n ei dilyn hi. Ddwedodd hi ddim gair wrth neb amdano.

'Bydden nhw'n meddwl bo' fi wedi colli 'mhwyll,' dwedodd wrthi'i hunan wrth feddwl am y peth.

Beth bynnag, roedd digon o bethau eraill yn digwydd. Aeth Cadi a Gethin i edrych ar yr ysgol yn Aberystwyth. Roedd y staff i gyd yn gyfeillgar, a gwnaeth rhai o'r merched ymdrech i siarad â Cadi, ond doedd Cadi ddim wedi arfer â gweld cymaint o blant, ac aeth hi yn swil, ac i'w chragen. Prin y dwedodd air yr holl amser roedd hi yno. Wrth adael, gwelodd jac-do'n hel trychfilod yn y gwely blodau.

Un bore dydd Sadwrn, roedd hi'n bwyta ei chreision ŷd yn y gegin. Roedd Gethin yn gorwedd ar ei fola yn y lolfa'n gwylio *Stwnsh Sadwrn*, roedd Sandra yn smwddio, ac roedd Dad yn yfed coffi ac yn darllen y papur. Yn sydyn, dechreuodd Pero'r ci chwyrnu'n isel. Roedd yn edrych i gyfeiriad y drws, ac roedd ei wrychyn wedi codi. Edrychodd Dad i fyny o'r tudalennau chwaraeon.

'Be sy'n bod ar y twpsyn o gi 'na, dwed?' meddai.

Y funud nesaf, canodd y gloch. Neidiodd Cadi, ac

wedyn teimlo embaras. Roedd Pero wedi sleifio'n ôl i'w wely. Rhoddodd Dad ei bapur i lawr ac agor y drws. Ar y stepen roedd menyw dal, osgeiddig mewn sgert a siaced wyrdd tywyll. Roedd ei hwyneb main yn olygus, ond braidd yn llym. Roedd ei gwallt du yn dechrau britho, ac roedd ei llygaid yn welw ac yn graff.

'Fydden i ddim moyn croesi honna,' meddyliodd Cadi.

'Mr Williams?' meddai wrth Dad. Roedd ei llais yn glir ac yn awdurdodol.

'Um, yes, that's me,' meddai Dad. 'How can I help you?'

'Siaradwch Gymraeg, os gwelwch yn dda,' meddai'r fenyw. 'Dwi ddim yn siarad yr iaith fain.'

'O,' meddai Dad. 'Popeth yn iawn. Shwt alla i'ch helpu chi?'

'Dwi wedi dod i siarad am eich merch, Cadi,' meddai. 'Ga i ddod i mewn?'

Neidiodd calon Cadi'n annifyr wrth glywed y geiriau. Pam bod y fenyw ddiarth hon eisiau siarad amdani hi? Oedd hi wedi gwneud rhywbeth o'i le? Oedd hi mewn trwbwl?

'Wrth gwrs, wrth gwrs,' meddai Dad, ac wrth weld ei olwg bryderus, gwyddai Cadi ei fod e'n meddwl yr un peth. 'Dewch mewn! Eisteddwch. Coffi?'

'Dim diolch,' meddai'r fenyw wrth eistedd yn hoff gadair Dad a symud ei bapur i'r ochr. Doedd Dad ddim yn gwybod beth i'w wneud: estynnodd am gadair arall ac eistedd arni, ond neidiodd i fyny'n syth gan regi dan ei wynt. Roedd un o ddeinosoriaid Gethin, gyda chyrn reit gas, eisoes yn eistedd ar y gadair. Pwysodd Dad yn erbyn cownter y gegin yn anesmwyth, wedi'i fwrw oddi ar ei echel, braidd. Rhoddodd Sandra y smwddiwr i lawr a dod i sefyll wrth ei ymyl.

Roedd y fenyw ddiarth wedi gwylio hyn i gyd yn ddi-wên. Pan oedd pawb wedi setlo, cliriodd ei llwnc a dweud:

'Fy enw i yw Morfydd Cilcoed, Dirprwy Brifathrawes Academi Gwyn ap Nudd. Mae'n siŵr bo' chi wedi clywed amdanon ni...'

Edrychodd yn ddisgwylgar ar Sandra a Dad, ond roedden nhw'n syllu ar ei gilydd yn ddryslyd.

'Yyym... na,' meddai Dad o'r diwedd. 'Mae'n ddrwg gen i, ond dwi erioed wedi clywed am ys... Beth oedd yr enw eto, Mrs Cilcoed?'

'Miss Cilcoed,' meddai Miss Cilcoed, gan wgu arno. 'Academi Gwyn ap Nudd. Sefydlwyd yr Academi gan ŵr busnes lleol i roi addysg o'r safon orau i blant mwyaf disglair y fro. Mae e wedi bod yn cadw llygad ar eich Cadi chi, ac mae wedi gofyn i fi gynnig lle iddi yn yr Academi.'

Neidiodd calon Cadi yn ei brest. Roedd Sandra a Dad yn syllu'n gegagored ar Miss Cilcoed.

'Ym...' meddai Sandra, 'mae hyn yn annisgwyl

iawn. Ym, ydych chi'n siŵr bo' chi ddim wedi neud camgymeriad? Dyw Cadi... Wel, nid hi yw'r disgleiriaf yn y dosbarth o ran darllen a sgrifennu a phethau. Nid bo' fi'n dweud... Ond, mae hynny'n wir on'd yw e, cariad?'

Nodiodd Cadi yn ddigalon. Roedd Sandra yn llygad ei lle. Roedd Cadi Ddu ac Elin Parry wastad yn rhagori arni hi ym mhob pwnc, ac roedd Tom Jarvis, hyd yn oed, yn well mathemategydd na hi. Rhaid bod rhyw gamgymeriad. Taflodd gip sydyn ar y calendr i wirio nad Ebrill y cyntaf oedd hi.

'Dydyn ni ddim yn talu llawer o sylw i ganlyniadau profion a phethau felly,' meddai Miss Cilcoed. 'Mae gyda ni'n ffordd ein hunain o asesu gallu plentyn. Does dim camgymeriad. Byddai'n hysgol ni'n siwtio Cadi i'r dim.'

'O,' meddai Sandra. Agorodd ei cheg i siarad eto, ond doedd hi ddim yn gallu meddwl am unrhyw beth i'w ddweud, felly caeodd hi'n glep.

'Ife ysgol breifat yw'r Academi 'ma?' meddai Dad. 'Dwi ddim yn siŵr...'

'Peidiwch â becso am arian,' torrodd Miss Cilcoed ar ei draws. 'Does dim ffioedd. Mae ein noddwr yn talu am bopeth.'

'O,' meddai Dad. 'Hael iawn. Ym, pwy yw'ch noddwr chi, os ga i ofyn?'

'Mae'n well ganddo aros yn ddienw,' meddai Miss Cilcoed.

'Dwi'n gweld,' meddai Sandra yn ddrwgdybus. 'Wel, mae hyn i gyd yn dipyn o sioc. Bydd rhaid i ni drafod fel teulu cyn neud unrhyw benderfyniad. Mae'n siŵr bo' chi'n deall, Mrs — ym, *Miss* Cilcoed. A beth bynnag, bydd Cadi'n mynd i'r ysgol uwchradd ymhen blwyddyn. Mae'ch ysgol chi'n swnio'n... wel, yn *wahanol*. Byddai un flwyddyn yn rhy fyr, falle, iddi hi ddod i arfer cyn mynd i ysgol norm—, ym, ysgol arall.'

'Rydych chi'n iawn, Mrs Williams,' meddai Miss Cilcoed, gan droi ei llygaid gwelw arni. 'Mae'n hysgol ni *yn* wahanol. A fyddai dim cwestiwn o newid i ysgol arall ar ôl blwyddyn: os daw Cadi aton ni, bydd hi'n aros gyda ni nes ei bod hi'n barod.'

'Yn barod i beth?' meddai Sandra.

'Yn barod i fynd allan i'r byd mawr, wrth gwrs,' meddai Miss Cilcoed.

'A beth am arholiadau TGAU?' meddai Dad. 'All hi eu neud nhw gyda chi? Bydd angen cymwysterau arni cyn mynd mas i'r byd mawr.'

'Wrth gwrs,' meddai Miss Cilcoed. 'Ac fe gaiff hi gymwysterau, peidiwch â becso dim. Bydd cymwysterau'n diferu o'i chlustiau cyn i ni orffen â hi!'

Doedd gan Cadi ddim syniad beth oedd cymwysterau, ond roedd hi'n siŵr nad oedd hi eisiau iddyn nhw ddiferu o'i chlustiau, beth bynnag oedden nhw.

'Dyma fy ngharden,' meddai Miss Cilcoed, gan dwrio

yn ei bag, ac estyn un yr un i Dad a Sandra. 'Gallwch chi edrych ar ein *gwefan* am ragor o fanylion.'

Wrth y ffordd dwedodd hi'r gair 'gwefan', roedd Cadi'n siŵr nad oedd Miss Cilcoed yn gwybod beth oedd e, yn fwy nag yr oedd Cadi yn gwybod beth oedd 'cymwysterau'.

'Diolch,' meddai Dad gan graffu ar y garden. 'Edrychwn ni ar y wefan a thrafod y cynnig.'

Roedd e a Sandra wedi codi, gan ddisgwyl i Miss Cilcoed ddeall ei bod hi'n amser iddi fynd, ond aros yn hoff gadair Dad wnaeth hi, heb ddangos unrhyw arwydd ei bod hi am adael. Edrychodd ar Sandra a Dad heb flincio, nes i'r ddau ohonyn nhw gochi.

'Wel,' meddai hi o'r diwedd, 'ydych chi'n mynd i roi llonydd i Cadi a fi? Mae gennym ni lawer i'w drafod.'

'O,' meddai Dad. 'Ym, iawn.'

Aeth y ddau i'r lolfa, braidd yn anfodlon. Edrychodd Dad ar Cadi'n ddiymadferth wrth iddo fynd, gan godi ei ysgwyddau. Yn syth ar ôl iddyn nhw adael, cododd Miss Cilcoed, croesi i'r drws, gwrando am funud a'i chlust yn erbyn y pren, ac yna dweud rhywbeth o dan ei gwynt. Clywodd Cadi sŵn rhyfedd fel swigod yn byrstio, ond doedd hi ddim yn gwybod o ble'n union.

'Reit,' meddai Miss Cilcoed, gan droi ati a gwenu am y tro cyntaf, 'wyt ti'n gallu cadw cyfrinach?'

'Odw,' meddai Cadi.

'Mae'n bwysig iawn nad wyt ti'n yngan gair am yr

hyn dwi'n mynd i ddweud. Nid wrth dy Dad, na Sandra, na dy frawd, na dy ffrind Cadi, nid wrth neb. Wyt ti'n deall?'

'Odw,' meddai Cadi, oedd ar bigau'r drain erbyn hyn.

'Mae Academi Gwyn ap Nudd yn ysgol i dylwyth teg.'

2

Yr Ysgol Swynion

'**Y**SGOL I DYLWYTH teg?' meddai Cadi mewn anghrediniaeth. 'Shwt alla i fynd i ysgol i dylwyth teg? Dwi ddim yn dylwythen deg.'

'Wyt ti'n siŵr?' meddai Miss Cilcoed.

Doedd Cadi ddim wedi disgwyl yr ateb hwnnw.

'Wel, odw,' meddai hi. 'Wrth gwrs bo' fi ddim. Dwi'n ferch; yn fod dynol.'

'Ac mae dy deulu i gyd yn fodau dynol, ydyn nhw?' gofynnodd Miss Cilcoed.

'Ydyn, wrth gwrs,' atebodd Cadi, gan feddwl am Gethin, am Mam-gu, Dad, Sandra. Roedden nhw i gyd yn fodau dynol. Ond wrth gwrs, doedd Sandra ddim, mewn gwirionedd, yn deulu iddi hi. Meddyliodd am ei mam a fu farw pan oedd hi'n fabi, y fam nad oedd hi erioed wedi'i gweld, dim hyd yn oed mewn llun. Agorodd ei llygaid yn llydan. Oedd ei mam hi'n...

Roedd Miss Cilcoed yn ei gwylio'n astud â'i llygaid gwelw.

'Mam,' meddai Cadi mewn llais bach. 'Dych chi ddim yn gweud...?'

'Mae'n wir, Cadi,' meddai Miss Cilcoed. 'Mae gwaed y tylwyth teg yn rhedeg yn dy wythiennau. Dyw hynny ddim yn anghyffredin yma yn y gorllewin: mae llawer o hen deuluoedd y fro â hynafiaid o'r Byd Arall. Rydyn ni bob tro'n cadw llygad ar blant y teuluoedd hynny rhag ofn eu bod yn dangos arwyddion o'r doniau angenrheidiol.'

'I neud beth?' gofynnodd Cadi.

'Gwaith y tylwyth teg, wrth gwrs,' meddai Miss Cilcoed. 'Mae llai o waith mewn rhai meysydd erbyn hyn: dyw ffermwyr ddim yn galw am ein help cymaint ag yr oedden nhw, er enghraifft. Ond mae casglu dannedd yn ddigon i gadw pawb yn brysur. Mewn gwirionedd, does gennym ni ddim hanner digon o dylwyth teg i gyflawni hynny'n effeithlon. Dyna pam rydyn ni'n recriwtio.'

'Chi moyn i fi ddysgu shwt i gasglu dannedd plant bach?' meddai Cadi.

'Dim o reidrwydd,' meddai Miss Cilcoed. 'Bydd hynny'n rhan o dy addysg, wrth gwrs, ond byddi di'n dysgu pob math o bethau eraill. Ysgol Swynion yw hi, yn y bôn.'

'Swynion?' meddai Cadi. 'Hud a lledrith?'

'Yn union,' meddai Miss Cilcoed, yn gwenu fel giât. 'Byddi di'n dysgu sut i newid maint dy gorff, sut i siarad ag anifeiliaid, sut i hedfan —'

'Hedfan?!' gwichiodd Cadi, yn gyffro i gyd. Roedd hi wedi breuddwydio ers iddi fod yn blentyn bach am allu hedfan.

'Fel aderyn,' meddai Miss Cilcoed.

'Oedd Mam yn gallu hedfan?' gofynnodd Cadi.

'Mae hi'n gallu gwneud o hyd, am wn i,' meddai Miss Cilcoed.

'O hyd?' meddai Cadi'n ddryslyd. 'Ond mae hi wedi marw.'

Edrychodd Miss Cilcoed arni'n graff.

'Ai dyna beth ddwedon nhw wrthot ti?' gofynnodd.

Crafodd Cadi ei phen. Wrth feddwl, doedd hi ddim yn cofio neb yn dweud yn blaen bod ei mam wedi marw. Roedden nhw wastad yn dweud pethau fel 'Pan gollon ni dy fam…', 'Ar ôl i dy fam fynd…' Cyflymodd curiad ei chalon. Oedd Miss Cilcoed yn dweud bod ei mam yn dal yn fyw?

'Efallai eu bod nhw'n iawn,' meddai Miss Cilcoed. 'Does neb wedi'i gweld hi ers blynyddoedd. Ond efallai 'mod i wedi dweud gormod yn barod.'

Roedd Cadi ar dân eisiau gwybod mwy, ond roedd Miss Cilcoed fel petai'n benderfynol o beidio â datgelu rhagor. Eto, roedd Cadi'r un mor benderfynol o gael ateb i un cwestiwn.

'Oedd Dad yn gwbod bod Mam yn dylwythen deg?' gofynnodd.

'Mae pobl yn dewis peidio gwbod pethau weithiau,'

atebodd Miss Cilcoed. 'Efallai bod hynny'n swnio'n rhyfedd, ond byddi di'n deall un diwrnod.'

Roedd hyn i gyd yn swnio'n rhyfedd iawn i Cadi. Sut y gallai rhywun ddewis *peidio* gwybod rhywbeth? Ond dyna ni, roedd oedolion yn greaduriaid digon rhyfedd weithiau! Eisteddodd hi'n dawel am ennyd. Roedd Miss Cilcoed yn edrych arni gyda'i llygaid gwelw, treiddgar. Roedd hyn yn gwneud i Cadi deimlo'n annifyr, felly edrychodd i lawr ar y briwsion ar y ford. Roedd ei meddwl yn berwi.

'Wel?' meddai Miss Cilcoed o'r diwedd.

Roedd ei llais yn swnio'n uchel yn y tawelwch.

'Be?' meddai Cadi, oedd wedi bod ar goll yn ei meddyliau dryslyd.

'Wyt ti'n mynd i dderbyn y cynnig?'

'Dim fi sy'n penderfynu'r pethau 'ma,' meddai Cadi. 'Bydd rhaid i chi siarad â Dad a Sandra.'

'Dy'n nhw ddim yn gallu penderfynu hyn drostot ti,' meddai Miss Cilcoed yn bendant. 'Ti, a neb arall, biau'r dewis.'

Cnodd Cadi ei gwefus. Os byddai mynd i'r ysgol yn Aberystwyth yn newid mawr, byddai mynd i ysgol i dylwyth teg yn gymaint mwy o newid!

'Dwi'n gwbod nad wyt ti'n hoff o newid,' meddai Miss Cilcoed yn garedig.

'Shwt?' meddyliodd Cadi. Roedd fel petai'n gallu darllen ei meddyliau.

'Ond mae newid yn dal i ddigwydd os ydyn ni'n licio hynny neu beidio,' aeth Miss Cilcoed yn ei blaen. 'Bydd mynd i Academi Gwyn ap Nudd yn newid anferth i ti, dwi'n gwbod hynny. Fydd dy fywyd di byth yr un fath. Bydd yn dangos i ti fyd nad oeddet ti erioed wedi ei ddychmygu. Mae'n rhaid bod hyn i gyd yn ddigon i godi ofn arnat ti. Ond...'

Pwysodd Miss Cilcoed ymlaen gan wenu'n dyner.

'... Ond, byddi di'n gallu hedfan! Dy'n nhw ddim yn dysgu hynny mewn unrhyw ysgol yn Aberystwyth.'

Hedfan! Dychmygodd Cadi ei hun yn codi fry i'r awyr,

uwchben y pentre,

uwchben y coed,

uwchben yr afon,

ymhell o'i hofnau,

ymhell o stranciau ei brawd,

ymhell o Tom Jarvis a'i ffrindiau cas,

ymhell o bopeth.

Byddai'n troelli ymysg y cymylau, yn dilyn y drudwyon a'r gwylanod, yn gweld y fro oddi tani fel map:

yr heolydd fel edau,

y tai fel bocsys matshys,

y bobl fel morgrug,

y mynyddoedd yn codi'n wal ar un ochr,

a'r môr yn garped glas ar y llall...

Byddai hi'n gallu gweld Iwerddon ar y gorwel, siŵr iawn.

Ac yna, daeth rhywbeth arall i'w meddwl: ei mam. Efallai bod ei mam, ei mam go iawn, yn dal yn fyw. Ei mam, y dylwythen deg. Allai gwrdd â hi? Sut un oedd hi? Roedd hi'n siŵr bod Miss Cilcoed yn gwybod mwy amdani nag yr oedd wedi dweud. Ond yng nghefn ei meddwl, roedd cwestiwn arall. Os oedd ei mam yn fyw, pam nad oedd hi wedi aros gyda Cadi? Pam nad oedd hi wedi bod yno, yn fam iddi?

Roedd Miss Cilcoed yn dal i aros.

'Ga i amser i feddwl, plis?' gofynnodd Cadi.

Ysgydwodd Miss Cilcoed ei phen.

'Mae amser yn magu ofnau, Cadi fach. Beth yw dy ateb greddfol?'

'Ym...' meddai Cadi. Pe bai'n dweud 'na', dyna ni, byddai Miss Cilcoed yn gadael a byddai'r cyfle wedi'i golli: dim hud, dim hedfan, dim siawns i gwrdd â'i mam. Ond eto, oedd hi'n barod i adael y byd cysurus, cyfarwydd? Pam fod rhaid iddi benderfynu? Daliodd ei hanadl a chau ei llygaid yn dynn. Beth oedd ei hateb greddfol?

'Ie!' meddai, yn rhy uchel o lawer, cyn y gallai newid ei meddwl.

Gwenodd Miss Cilcoed fel yr haul arni. Doedd hi ddim yn edrych yn llym o gwbl, bellach, ond yn gynnes ac yn garedig.

'Da iawn, Cadi!' meddai hi. 'Dwi'n falch iawn dy fod wedi'n dewis ni. Dwi'n siŵr y byddi di'n hapus iawn.'

Cododd o hoff gadair Dad a chroesi at y drws.

'Rhaid i fi fynd,' meddai. 'Bydd y manylion i gyd yn cael eu hanfon atat ti yn y man.'

Roedd ei llaw ar fwlyn y drws pan safodd yn stond, a dweud:

'O ie, bron i fi anghofio...'

Pwyntiodd at y drws i'r lolfa a mwmial rhyw eiriau diarth. Clywodd Cadi'r sŵn swigod eto.

'Y'ch chi wedi neud hud ar y drws?' gofynnodd â'i llygaid yn fawr ac yn grwn.

Rhoddodd Miss Cilcoed ei bys ar ei gwefusau.

'Rhywbeth bach, rhag ofn bod eich rhieni'n cael eu temtio i wrando wrth y drws, 'na i gyd,' meddai. 'Mae'n dda 'mod i wedi cofio tynnu'r swyn, neu fyddai neb wedi clywed dim trwy'r drws 'na am wythnosau! Cofia fod yr hyn dwi wedi'i ddweud heddiw yn gyfrinach fawr.'

'Fydda i ddim yn gweud gair wrth neb,' meddai Cadi'n frwd gan amneidio fel petai'n cau sip ar ei cheg.

'Go dda ti,' meddai Miss Cilcoed. 'Ta ta tan toc!'

A chyda hynny, ysgubodd allan trwy'r drws. Eisteddodd Cadi wrth y ford, ei phen yn troi. Roedd hi'n mynd i Ysgol Swynion! Roedd hi'n mynd i ddysgu gwneud hud fel Miss Cilcoed! Roedd hi'n mynd i ddysgu hedfan! Roedd hi'n gyffro i gyd, wedi'i chyffroi gormod i siarad â Dad a Sandra. Bydden nhw'n gwybod bod rhywbeth ar droed. Penderfynodd fynd mas am ychydig i gael awyr iach a chlirio ei phen. Allan â hi, a mynd yn syth at ei hoff goeden yn yr ardd. Dringodd i'w changhennau, ac eistedd yno, wedi'i chuddio ymysg y dail gwyrdd trwchus. Fyddai neb yn gallu ei ffeindio yno: byddai'n cael llonydd i feddwl.

Yn sydyn, clywodd leisiau, yn dod o'r ffordd. Llais Miss Cilcoed oedd un ohonyn nhw. Llais dyn oedd y llall. Yn ofalus, ymlusgodd Cadi ar hyd cangen a sbecian trwy'r dail. Roedd Miss Cilcoed yn sefyll wrth ochr y ffordd, yn siarad â dyn byr crwn a wisgai siwt werdd, yr un lliw â'i dillad hi. Roedd e'n sychu chwys o'i dalcen â chadach poced anferthol.

'Beth bynnag,' roedd e'n dweud, 'mae'r bachgen wedi cytuno i ddod aton ni. Gwaith caled ar y naw, a bod yn onest, a dwi ddim yn siŵr ei fod e'n mynd i lwyddo, ond dim fi sy'n gwneud y penderfyniadau 'ma. Sut aeth pethau gyda ti?'

'Iawn,' meddai Miss Cilcoed yn frwdfrydig. 'Mae'r ferch yn addawol iawn, dwi'n credu. Bydd hi'n gaffaeliad i'r ysgol, ac i'r tylwyth teg.'

'Hmmm,' meddai'r dyn bach tew. 'Cawn ni weld. Dwi'n dal ddim yn siŵr bod cynnig lle iddi hi'n syniad da. Dwi'n cofio'r trafferth gawson ni gyda'i mam!'

'Dere mlaen, Caradog,' meddai Miss Cilcoed, 'rhaid i ni roi siawns iddi hi brofi ei hunan, yn lle ei beirniadu hi am beth wnaeth ei theulu cyn iddi gael ei geni. Tylwyth *teg* ydyn ni wedi'r cwbl. Ta waeth, ddylen ni ddim siarad am hyn yma: dyn a ŵyr pwy sy'n gwrando.'

'Iawn,' meddai'r dyn. 'Ry'n ni wedi gorffen fan hyn, beth bynnag. Bant â ni!'

Gyda hynny, gwnaeth ystum rhyfedd â'i law chwith fel pe bai'n chwilio am rywbeth, ac yna diflannodd o'r golwg. Edrychodd Miss Cilcoed o'i chwmpas, ac aeth calon Cadi i'w cheg gan feddwl y byddai'n ei gweld hi'n cuddio. Ond roedd ei chuddfan yn ddiogel: y funud nesaf, gwnaeth Miss Cilcoed yr un ystum â'r dyn, a diflannu yn yr un modd, gan adael Cadi ar ei phen ei hunan i gnoi cil dros yr hyn roedd wedi'i glywed.

3

Y Dyn â'r Crafat Piws

ROEDD SANDRA A Dad yn dal yn y lolfa pan aeth Cadi'n ôl i'r tŷ. Roedd y ddau'n syllu ar wefan Academi Gwyn ap Nudd ar liniadur Dad. Roedd Gethin yn gwneud ei orau i'w hanwybyddu, ac yn eistedd fodfeddi o'r sgrin fel y gallai glywed y teledu dros eu lleisiau.

'Dwi jyst ddim yn gwbod be i feddwl,' roedd Sandra'n dweud.

'Rhyw ysgol Steiner neu rywbeth, siŵr o fod,' meddai Dad. 'Ti'mod, hipis mewn dillad lliwgar yn pobi eu bara eu hunen ac yn siarad â'r coed, a dim chwaraeon achos bo' nhw'n rhy gystadleuol.'

'Gyda Dirprwy Brifathrawes sy'n mynnu bo' hi ddim yn gallu siarad Saesneg?' chwarddodd Sandra. 'Go brin!'

'Ie,' meddai Dad, 'pwynt teg. Ta p'un i, sai'n credu bydd Cadi eisiau mynd: ti'n gwbod shwt ma hi.'

'Fel mae'n digwydd,' meddai Cadi, 'dwi eisiau mynd. Mae'n swnio'n wych: lot gwell na'r hen ysgol 'na yn Aberystwyth. Bydda i'n gallu... Wel, dwi'n credu bydd y lle yn fy siwto i i'r dim.'

Neidiodd Dad a Sandra fel un.

'Cadi!' meddai Dad. 'Glywes i ddim ti'n dod mewn. Ble ma Mrs Cilgerran?'

'Miss Cilcoed!' meddai Cadi. 'Mae hi wedi mynd.'

Cododd Dad a dod draw ati.

'Ti'n siŵr bo' ti moyn mynd?' meddai'n dyner. 'Mae'n mynd i fod yn wahanol iawn i Ysgol Llanfair. Wedodd Mrs Cil-y-drws gymaint â hynny ei hunan. Dwi'n gwbod bo' ti ddim yn lico newid.'

Cododd Cadi ei hysgwyddau.

'Mae newid yn digwydd, os y'n ni'n licio fe neu beidio,' meddai'n ddidaro. 'Nawr 'te, mae'n braf mas. Dwi'n credu a' i am dro ar y beic. O, a Miss Cilcoed yw ei henw hi.'

Aeth allan gan ysgwyd ei phen.

***

Bore dydd Llun cyrhaeddodd llythyr swyddogol yn y post yn cynnig lle i Cadi yn Academi Gwyn ap Nudd. Gwisg ysgol – sgert lwyd, top gwyrdd, teits gwyrdd; cludiant am ddim o ddrws y tŷ i'r ysgol bob dydd, yn gadael am 8.15; disgyblion i roi gwybod o flaen llaw am unrhyw anghenion deietegol. Roedd Dad a Sandra'n disgwyl y byddai Cadi wedi newid ei meddwl, ond doedd hi ddim. Felly, derbynion nhw'r cynnig, a mynd ati i baratoi. Y dasg waethaf i Cadi oedd esbonio wrth Cadi Ddu na fyddai hi yn yr ysgol gyda hi'r tymor nesaf. Wrth gwrs, doedd hi ddim yn gallu esbonio pa fath ysgol oedd Academi Gwyn ap Nudd, ac felly doedd Cadi Ddu ddim yn deall o gwbl pam fod ei ffrind gorau yn ei gadael hi. Aeth hi'n dipyn o ffrae, ac roedd dagrau ar y ddwy ochr. Welodd y ddwy ddim o'i gilydd am weddill y gwyliau. Teimlodd Cadi Goch yn ofnadwy. A fyddai'r Cadi arall byth yn maddau iddi?

Roedd Dad a Sandra'n awyddus iawn i ymweld ag Academi Gwyn ap Nudd, ond pan anfonon nhw neges i ofyn a fyddai hynny'n bosib, cawson nhw ateb yn dweud bod gwaith mawr yn digwydd ar yr adeilad dros y gwyliau, ac felly allai neb fynd i'w weld ar hyn o bryd. Roedd yna daith rithiol ar y wefan, meddai'r neges, ond pan geisiodd Dad a Sandra glicio ar y ddolen, y cwbl a gawson nhw oedd neges yn datgan: 'Invalid link'. I ddechrau, roedden nhw'n flin, ac yn tyngu na fyddai Cadi byth yn cael mynd i'r ysgol os na allen nhw ei gweld hi yn gyntaf. Doedd hi ddim yn glir iawn o'r wefan ble oedd yr ysgol, hyd yn oed. Ond yn syndod o fuan, roedden nhw wedi anghofio am hyn, ac aeth y paratoadau yn eu blaenau. Gofynnodd Cadi iddi hi ei hunan ai rhyw swyn oedd yn gyfrifol am y newid?

Un dydd Sadwrn ym mis Awst, aethon nhw i Aberystwyth i brynu dillad a phethau eraill i Cadi, ac i Gethin, a fyddai'n dechrau yn yr ysgol yn Aberystwyth. Roedd hi'n ddiwrnod crasboeth o haf, a'r dre dan ei sang gyda phobl ar eu gwyliau, yn goch ac yn chwyslyd, yn rhedeg ar ôl eu plant, neu'n rhegi'r gwylanod oedd yn ceisio dwgyd eu sglodion. Ar ôl dilyn Sandra o gwmpas cwpwl o siopau, roedd Cadi hefyd yn goch ac yn chwyslyd, ac roedd Gethin yn cwyno'n ddi-baid.

'O, mae hyn yn anobeithiol!' meddai Sandra. 'Shiny, cer â'r plant i'r prom i gael hufen iâ, a fe wna i'r siopa ar ben fy hunan.'

Roedd Cadi'n falch iawn o'r cyfle i ddianc o'r siopau. Ar y traeth, tynnodd Gethin a hi eu hesgidiau a mynd i wlychu eu traed yn y môr oer. Yna eisteddon nhw gyda Dad yn y cysgod i fwyta hufen iâ. Yn sydyn, dwedodd Gethin ei fod e angen mynd i'r tŷ bach. Cododd Dad i fynd gydag e.

'Byddi di'n iawn yma ar dy ben dy hunan am funud, byddi, Cadi?' gofynnodd. 'Paid symud.'

'Iawn,' meddai Cadi.

Gwyliodd nhw'n mynd am y tai bach, a Gethin yn hopian o un goes i'r llall. Yna trodd ei golygon yn ôl at y môr. Roedd yr haul yn disgleirio ar y dŵr glas, fel bod rhaid i Cadi gulhau ei llygaid i edrych arno. Roedd nifer o bobl yn nofio, a phlant yn neidio oddi ar lanfa fechan a ymwthiai i'r môr, gan blymio i'r dŵr â sblash swnllyd.

Gallai glywed eu chwerthin a'u bloeddio'n glir. Yn sydyn, clywodd rywbeth arall: llais yn siarad yn dawel wrth ei hymyl. Neidiodd mewn braw, a throi i weld dyn bach rhyfedd yr olwg yn plygu drosti. Er gwaetha'r gwres, roedd yn gwisgo trowsus melfaréd, siaced, het a chrafat piws. Roedd mwstásh bach trwsiadus o dan ei drwyn, ac roedd ei lygaid bach yn gwibio o un peth i'r llall, fel llygaid anifail gwyllt.

'Cadi Williams?' meddai mewn llais tenau.

'Ym, ie,' meddai Cadi'n syn.

'Ti'n mynd i Academi Gwyn ap Nudd yn yr hydref, wyt ti?' meddai, gan daflu cipolwg sydyn dros ei ysgwydd.

'Shwt y'ch chi'n gwb—?' meddai Cadi, ac yna stopio, gan gofio nad oedd hi i fod i siarad am yr ysgol â neb. 'Dwi ddim yn deall. Dwi erioed wedi clywed am unrhyw Academi Gwyn ap Bechingalw.'

'Dwi'n gwbod,' meddai'r dyn gan dapio ochr ei drwyn â'i fys. 'Maen nhw wedi dweud wrthot ti am beidio siarad am y lle. Ond mae'n iawn, dwi'n gwbod pob dim. Dwi'n gwbod taw ysgol i dylwyth teg yw hi.'

'Sdim tylwyth teg yn bod go iawn,' meddai Cadi, gan deimlo'n fwyfwy anesmwyth.

'Ocê,' meddai'r dyn. 'Dyna dy stori, dwi'n deall hynny. Gad i fi esbonio pwy ydw i. Fy enw i yw Barti, Barti John. Newyddiadurwr ydw i, yn sgrifennu stori am yr Ysgol i Dylwyth Teg. Fyddet ti'n fodlon siarad â fi eto, ar ôl i ti ddechrau yn yr ysgol? Dweud wrtha i beth sy'n digwydd yno o ddydd i ddydd? Byddai'n ddiddorol iawn cael y stori o'r tu mewn, fel petai. Bydden ni'n talu, wrth gwrs, talu'n hael hefyd. Beth wyt ti'n feddwl?'

'Dim diolch,' meddai Cadi.

Doedd hi ddim am barhau'r sgwrs gyda'r dyn bach rhyfedd yma. Yn y cefndir, gallai weld Dad a Gethin yn dod yn ôl. Gwelodd y dyn nhw hefyd. Tynnodd garden o boced ei siaced.

'Meddylia am y peth,' meddai'n frysiog, gan wthio'r garden i'w llaw. 'Os ti'n newid dy feddwl, galli di gysylltu â fi. Dydd da i ti, Cadi.'

A chyda hynny, bant ag e ar hast.

'Pwy oedd hwnna?' meddai Dad, gan wgu'n ddrwgdybus arno wrth iddo ymdoddi i'r dorf ar y prom.

'Dwi ddim yn gwbod,' meddai Cadi, gan stwffio'r garden i'w phoced cyn i Dad ei gweld. 'Roedd e'n meddwl bod e'n nabod fi, ond camgymeriad oedd e.'

'O wel,' meddai Dad, 'dyma ni. Well i ni fynd i ffeindio Sandra, sbo.'

Yn y car ar y ffordd adre, tynnodd Cadi'r garden o'i phoced pan nad oedd neb yn edrych. Barti John, newyddiadurwr annibynnol: yna rhif ffôn, a chyfeiriad e-bost. Dwedodd y byddai'n talu'n hael, meddyliodd. Ddylai hi gytuno? Eto i gyd, roedd rhywbeth amdano yn gwneud iddi deimlo'n anesmwyth. Roedd hi wedi penderfynu: doedd hi ddim yn mynd i siarad â'r dyn od hwnnw byth eto. Pan gyrhaeddon nhw adre, taflodd y garden i'r bin sbwriel.

***

Aeth y dyddiau'n wythnosau, a'r wythnosau'n fis, ac un bore Llun, a'r perthi'n frith â mwyar duon, a'r gwenoliaid yn dechrau ymgasglu ar y weiars teliffon, dyna Cadi'n aros y tu allan i'w thŷ yn ei sgert lwyd, top gwyrdd a theits gwyrdd, a'i bag ysgol ar ei chefn. Roedd Sandra'n sefyll gyda hi. Roedd Dad a Gethin eisoes wedi gadael am Aberystwyth: roedd y traffig wastad yn wael yr adeg yma o'r bore, yn ôl Dad, felly byddai'n talu iddyn nhw adael yn gynnar.

'Pob lwc,' meddai wrth Cadi cyn iddo fynd, gan ei gwasgu'n dynn.

Roedd wedi troi oddi wrthi ac agor drws y car, cyn sythu ac edrych arni eto.

'Ti'n gallu newid dy feddwl, ti'n gwbod,' meddai, 'os ti ddim yn lico'r lle. Os yw Mrs Cil-y-Lleuad yn hen hwch.'

'Bydda i'n iawn,' meddai wrtho.

Ond nawr, roedd ei thu mewn yn corddi wrth aros am y 'cludiant' i fynd â hi i'w hysgol newydd. Byd arall. Byd y tylwyth teg. Edrychodd hi ar ei wats: 8.14. Munud i fynd. Roedd pob dim yn dawel. Dim ond synau bach oedd i'w clywed: trydar yr adar; suo cachgi bwm yn hedfan igam-ogam heibio'i thrwyn; brefiad dafad yn y cae cyfagos. Ac yna sŵn arall – rhyw rwnian isel a ddaeth yn uwch ac yn uwch. Cyn bo hir, ar ben y grwnian, gallai Cadi glywed crensian metel ar fetel, ac ambell glec fyddarol. Rownd y gornel daeth hen fws ysgol, fel petai wedi cael ei ddwyn o amgueddfa. Er gwaetha ei ymddangosiad hynafol, roedd yn symud yn syndod o gyflym. I ddechrau meddyliodd Cadi y byddai'n saethu'n syth heibio iddyn nhw, ond gyda gwichian uchel ac oglau rwber wedi llosgi, daeth i stop wrth eu hymyl. Roedd hi'n 8.15 ar ei ben. Cloncodd y drws ar agor. Dim ond dyrnaid o bobl oedd yn eistedd yn yr hen seti anghyfforddus. Edrychodd y gyrrwr ar Cadi o'r tu ôl i'w sbectol haul. Wyneb main, llwyd oedd ganddo, modrwy aur yn ei glust, a bandana am ei ben gyda lluniau penglogau arno. Roedd craith wen hyll ar ei wddf. Ni ddwedodd air, na gwenu chwaith, ond amneidiodd â'i ben iddi ddod ar y bws. Ffarweliodd â Sandra'n frysiog, a dringo'r grisiau.

'Oh no,' meddai llais cyfarwydd, 'look who it is! Cadi-silio-go-go-goch. I thought I'd never have to see that ginger mop of yours ever again!'

Yn eistedd ar ei ben ei hun ar y sêt gefn mewn pâr o drowsus llwyd a chrys gwyrdd roedd Tom Jarvis.

4

Porth Annwfn

Suddodd calon Cadi i fysedd ei thraed. Doedd hi erioed wedi breuddwydio y byddai'r hen Tom Jarvis yn mynd i'w hysgol newydd. Ei meddwl cyntaf oedd i droi ar ei sawdl a mynd allan o'r bws, dweud wrth Sandra ei bod hi wedi gwneud camgymeriad ofnadwy, a'i bod hi wedi newid ei meddwl. Tybed a oedd yn rhy hwyr iddi hi fynd i'r ysgol yn Aberystwyth wedi'r cwbl, gyda Gethin a Cadi Ddu? Ond gyda chratsh a chrensh, roedd yr hen fws rhydlyd wedi ailddechrau ar ei daith. Bu bron i Cadi syrthio'n glewt, ond llwyddodd i afael yng nghefn y sêt agosaf ac aros ar ei thraed. Eisteddodd yn frysiog, mor bell oddi wrth Tom Jarvis â phosib. Yr unig beth i'w wneud oedd ei anwybyddu, meddyliodd.

'Oi!' gwaeddodd Tom arni eto. 'I'm talking to you, carrot-top!'

Sgrwnsiodd Tom ddarn o bapur a'i daflu ati. Tarodd ei phen. Roedd y plant eraill i gyd yn edrych arni.

Teimlodd y gwres yn codi i'w bochau. Glaniodd darn arall o bapur sgrwtsh yn ei chôl. Caeodd ei dyrnau. Pam fod rhaid i Tom Jarvis sbwylio popeth?

'Don't pretend you don't know me!'

Cododd Cadi ar ei thraed a'i wynebu.

'Ca dy ben, Tom Jarvis!' gwaeddodd. 'Gad lonydd i fi!'

Syllodd y plant eraill arni'n fud. Doedd hi ddim yn nabod yr un ohonyn nhw.

'What a way to talk to an old friend,' meddai Tom yn goeglyd.

Yna cododd rhyw glamp o ferch fochgoch ar ei thraed a throi at Tom.

'Hei!' cyfarthodd. 'Glywest ti ddim be wedodd hi? Gad lonydd iddi hi'r hen fwli!'

'What are you going to do about it?' sgyrnygodd Tom.

Mewn fflach, roedd y ferch wedi croesi ato, cydio ym mlaen ei grys, a'i godi i'r awyr ag un llaw fel doli glwt.

'Gad... lonydd... iddi!' gwaeddodd, gan ei ysgwyd i bwysleisio pob gair.

'Ok, ok!' meddai Tom mewn braw.

Gollyngodd y ferch Tom yn sypyn ar ei sêt, a dod i eistedd wrth ymyl Cadi.

'Ym, diolch,' meddai Cadi.

'Croeso,' meddai'r ferch. 'Mae'n gas gen i fwlis.'

Estynnodd ei llaw.

'Anni Thomas dwi,' meddai, 'ond mae pawb yn galw fi'n Tractor.'

'Tractor?' meddai Cadi, gan gydio yn ei llaw a'i hysgwyd.

'Stori hir,' meddai Tractor. 'Beth yw dy enw di?'

'Cadi,' meddai Cadi. 'Cadi Goch.'

'Sdim rhaid gofyn pam,' chwarddodd Tractor gan edrych ar wallt Cadi.

Tractor oedd yr unig blentyn ar y bws heb wisg ysgol. Roedd hi'n gwisgo crys Scarlets a phâr o jîns tyllog.

'Ffaelodd Mam ffindo unrhyw beth i ffito fi,' meddai, wrth weld bod Cadi'n edrych ar ei dillad.

Yna trodd i wgu ar Tom, ond roedd crib hwnnw wedi'i dorri'n llwyr, ac roedd yn eistedd mewn tawelwch pwdlyd. Doedd e erioed wedi cwrdd â merch oedd yn gryfach nag e o'r blaen. Edrychodd Cadi trwy'r ffenest. Roedd y bws wedi troi oddi ar y brif ffordd, ac roedd yn saethu ar hyd heolydd cul i gyfeiriad y mynyddoedd. Stopion nhw cwpwl o weithiau i godi rhagor o blant nerfus yn eu gwisgoedd gwyrdd a llwyd. Yn fuan, roedd tua dwsin ohonyn nhw gyda'i gilydd.

'Ble mae'r ysgol 'ma?' gofynnodd Cadi.

'Sai'n gwbod,' meddai Tractor. 'Gyrrwr!' gwaeddodd. 'Ble ni'n mynd?'

Ond roedd clustffonau mawr dros glustiau'r gyrrwr, ac roedd yn nodio ei ben i rythm cerddoriaeth nad oedd neb arall yn gallu clywed. Doedden nhw ddim yn mynd i ddysgu unrhyw beth gan hwnnw. Roedd Cadi'n chwilfrydig o hyd, ond eto, doedd hi ddim yn teimlo mor nerfus bellach. Roedd eistedd gyda merch oedd yn ddigon cryf i godi Tom Jarvis o'r llawr ag un llaw yn gysur rywsut.

O'r diwedd cyrhaeddon nhw gwm unig yn ddwfn yn y mynyddoedd. Roedd cymylau duon wedi ymgasglu uwchben. Doedd dim tai nac adeiladau i'w gweld yn unman, ar wahân i hen ffermdy bach ar lethr bryn, ei do wedi hen fynd, a thyllau du lle roedd drws a ffenestri'n arfer bod. Erbyn hyn, roedd yr heol wedi troi'n hen lwybr cerrig a mwd, ac roedd y bws yn hercian yn wyllt dros ei wyneb anwastad fel bod y plant yn cael eu hysgwyd, a'u dannedd yn rhuglo yn eu pennau. Doedd y gyrrwr ddim wedi arafu rhyw lawer o gwbwl. Wrth i un olwyn syrthio i dwll arbennig o ddwfn, cafodd Cadi ei thaflu i gôl Tractor. Yn y pen draw, diflannodd y llwybr yn gyfan gwbl reit ar ben y cwm. O'u blaenau roedd clogwyn serth, ac ogof ddu yn agor ei cheg ynddo. Allan ohoni llifai nant a fwydai lyn bas marwaidd o flaen y clogwyn. Daeth y bws i stop, ac agorodd y drws gwichlyd. Ddwedodd y gyrrwr ddim byd, dim ond eistedd yn llonydd, ei glustffonau wedi'u sodro dros ei glustiau, a'i sbectol haul dros ei lygaid, er gwaetha'r ffaith bod yr haul wedi hen ddiflannu tu ôl i'r cymylau bygythiol. Edrychodd Cadi a Tractor ar ei gilydd.

'Ym…' meddai Tractor, 'ti'n meddwl dylen ni fynd off y bws? Ble mae'r ysgol 'te? Yn yr ogof?'

Cododd Cadi ei hysgwyddau.

'Wel,' meddai, 'ni ddim yn mynd i unman, odyn ni? Man a man i ni fynd mas.'

Cododd y ddwy a chamu oddi ar yr hen fws.

'Diolch,' meddai Tractor wrth y gyrrwr, ond anwybyddodd hwnnw hi'n llwyr.

O dipyn i beth, dilynodd y lleill. Tom Jarvis oedd yr olaf. Roedd yn crychu ei drwyn, fel petai newydd fwyta rhywbeth ych-a-fi. Ymysg y cawn gwyrdd tywyll yn ymyl y llyn, gwelodd Cadi rywbeth gwyn: hen benglog dafad. Uwch eu pennau, roedd barcutiaid yn troi mewn cylchoedd. Crynodd. Roedd y lle'n hala ysgryd arni.

Yn sydyn, clywodd lais siriol.

'Helô, bawb! Croeso!'

Roedd Miss Cilcoed yn brasgamu atyn nhw, gyda dau ddyn wrth ei chwt. Un oedd y dyn bach tew roedd Cadi wedi'i weld yn yr heol o flaen ei thŷ yn ôl yn yr haf. Roedd y llall yn fain ac yn dal. Yn wahanol i'r lleill, doedd ei siwt ddim yn wyrdd, ond yn ddu a golwg gostus arni. Roedd e, fel gyrrwr y bws, yn gwisgo sbectol haul, ond rhai llawer mwy cŵl. Roedd ei wallt tywyll wedi'i iro'n ôl o'i dalcen yn ofalus. Daeth y tri i sefyll o flaen y plant.

'Dwi wedi cwrdd â rhai ohonoch chi'n barod,' meddai Miss Cilcoed. 'Fy enw i yw Miss Morfydd Cilcoed,

Dirprwy Brifathrawes Academi Gwyn ap Nudd. A dyma fy nghyd-weithwyr, Dr Caradog ab Einion...'

Trodd at y dyn bach tew, a gododd ei law gyda rhyw ystum rhyfedd a oedd, mae'n debyg, i fod yn wên o groeso.

'... a Mr Taliesin Penfras.'

Amneidiodd ar y dyn tenau, a nodiodd fymryn lleiaf heb wên o fath yn y byd.

'Rydyn ni'n hynod o falch eich bod wedi dewis dod aton ni, ac yn siŵr y byddwch chi i gyd yn hapus iawn yn Academi Gwyn ap Nudd. Mae heddiw yn...'

'Excuse me, Miss,' torrodd Tom Jarvis ar ei thraws, 'but where's the school?'

Gwgodd Miss Cilcoed arno.

'Yn ein hysgol ni, dydyn ni ddim yn torri ar draws pobol pan fyddan nhw'n siarad,' meddai'n oer. 'A bydd rhaid i ti siarad Cymraeg.'

'Sorry, Miss,' meddai Tom. 'But where is it? I can't see no school.'

'Beth ddwedodd e?' meddai Miss Cilcoed.

Cododd y ddau athro arall eu hysgwyddau.

'Ydy e'n siarad Cymraeg?' gofynnodd Miss Cilcoed i Dr ab Einion.

'Am ryw reswm, mae'n mynnu siarad Saesneg,' meddai hwnnw, 'ond ma fe'n gallu siarad Cymraeg.'

'Rhaid i ti siarad Cymraeg, Tom,' meddai Cadi rhwng ei dannedd. 'So nhw'n deall Saesneg.'

'Really?' meddai Tom mewn anghrediniaeth. 'Is that even possible?'

Syllodd ar Cadi am ennyd, yna codi ei ysgwyddau a throi at Miss Cilcoed.

'Ym… ble ydy'r sgŵl, Miss?'

'Ysgol,' hisiodd Cadi.

'Oh yeah, ysgol.'

'Wel,' meddai Miss Cilcoed, 'gadewch i fi esbonio. Mae Academi Gwyn ap Nudd yn Annwfn: y Byd Arall, fel mae'r Cymry'n ei galw hi. Gwlad y Tylwyth Teg. Mae sawl porth rhwng y byd hwn ac Annwfn. Mewn gwirionedd, maen nhw ym mhob man, bron, ond mae rhai'n haws i'w darganfod nag eraill. Mae un mawr yn yr ogof acw a fydd yn ein harwain yn syth i'r ysgol. Dilynwch fi.'

Gyda hynny, trodd ar ei sawdl ac anelu am geg dywyll yr ogof, gyda'r ddau athro arall bob ochr iddi. Edrychodd Tractor ar Cadi a chodi ei haeliau.

'Bant â'r cart, 'te,' meddai.

Rhedodd y ddwy, a'r plant eraill, y tu ôl i'r athrawon, a gyrrwr y bws yn eu dilyn nhw yn fud. Roedd y tir yn gorslyd dan draed, ac aeth Cadi ar flaenau ei thraed gan geisio peidio â sarnu ei sgidiau newydd. Brasgamodd Tractor yn ddi-hid wrth ei hochr fel bod y llaid yn sblasio dros ei jîns. Pan gyrhaeddon nhw geg yr ogof, tynnodd Mr Penfras – oedd yn dal i wisgo'i sbectol haul, fel gyrrwr y bws – belen fach lachar o boced ei siwt a chwythu arni. Cynyddodd y golau nes iddi ddisgleirio fel lamp. Cododd hi'n uchel fel y gallai pawb weld y llwybr cul llithrig a arweiniai o'r nant i mewn i'r ogof. Er bod ceg yr ogof mor fach fel bod rhaid i Mr Penfras a'r gyrrwr blygu eu pennau i fynd i mewn, agorodd yn sydyn yn siambr fawr fel neuadd. Ni chyrhaeddai golau Mr Penfras y to, ac atseiniai sŵn eu traed a'u lleisiau fel petaen nhw mewn eglwys gadeiriol. Rhyw bum metr i mewn i'r ogof, daeth Miss Cilcoed i stop, a throdd i wynebu'r plant.

'Dyma ni 'te,' meddai. 'Mewn munud, byddwn ni'n agor y porth. Ond cyn hynny, mae'n rhaid i chi i gyd gael pâr o'r rhain.'

Twriodd yn ei bag â'i menig llwyd, a thynnu allan ddyrnaid o freichledau metel di-nod yr olwg.

'Mae'r rhain yn hynod o bwysig,' meddai. 'Dyw amser yng Ngwlad y Tylwyth Teg ddim yn union fel mae yn y byd hwn. Weithiau mae diwrnod yn pasio yn Annwfn, a chanrif yn y byd hwn, dro arall mae wythnos yn Annwfn fel pum munud yn y byd hwn. Does dim dal. Yn yr un modd, dyw gofod ddim yr un fath yn y ddau fyd. Dyna pam mae tylwyth teg yn aml yn ymddangos yn fach yn eich byd chi. Dro arall, maen nhw'n ymddangos yn anferth: cewri rydych yn eu galw nhw bryd hynny. Mae hyn yn broblem ers canrifoedd i'r rhai sydd yn teithio rhwng y ddau fyd. Ond nawr, mae tîm o'n gwyddonwyr hud gorau, dan oruwchwyliaeth Dr ab Einion...'

Amneidiodd ar y dyn bach tew wrth ei hochr, a gochodd, a phlygu ei ben yn swil.

'... wedi dyfeisio'r breichledi rhyfeddol hyn sy'n cadw safle'r ddau fyd mewn amser a gofod yn sefydlog i bob un sy'n eu gwisgo. Mewn geiriau eraill, os ydych chi'n gwisgo'r breichledi hyn yn Annwfn, byddwch yn cyrraedd adre pnawn 'ma yn eich byd chi, yn hytrach nag am bum munud wedi naw y bore, neu yn y flwyddyn 2264. Byddwch chi hefyd yr un maint ag yr ydych chi nawr, yn hytrach na bod yn llai na chorryn, neu'n fwy na choeden. Felly, peidiwch, da chi, â thynnu'r breichledi nes eich bod yn saff yn ôl yn eich byd eich hunain. Ac os ydych chi'n eu tynnu nhw pan fyddwch chi adre, peidiwch byth ag anghofio eu gwisgo eto cyn mynd trwy'r porth. Ydy pawb yn deall?'

Nodiodd y plant yn fud. Gwgodd Miss Cilcoed.

'Ydych chi'n deall?'

'Ydyn, Miss Cilcoed,' meddai pawb yn un côr.

'Dyna welliant,' meddai Miss Cilcoed. 'Mae'n bwysig iawn nad ydych chi'n eu tynnu nhw byth yn Annwfn. Am un peth, mae'n beryglus, fel dwi eisoes wedi esbonio, ond hefyd gallech chi gael eich diarddel o'r ysgol. Dych chi ddim eisiau hynny ar eich diwrnod cyntaf! Nawr 'te, y tro 'ma, fe wna i'n siŵr bod pawb yn gwisgo pâr cyn mynd trwy'r porth.'

Aeth hi at y plentyn agosaf – merch benfelen â golwg nerfus ar ei hwyneb gwelw.

'Enw?' meddai Miss Cilcoed.

'Gwenno Jones, Miss,' meddai mewn llais bach gwichlyd.

'Estyn dy freichiau, Gwenno,' meddai Miss Cilcoed.

Rhoddodd hi freichled ar bob un o'r breichiau esgyrnog. Ebychodd Gwenno.

'Maen nhw wedi mynd yn dynnach,' meddai'n syn. 'Maen nhw'n ffitio'n berffaith!'

Gwenodd Miss Cilcoed.

'Metel deallus,' meddai. 'Unwaith mae'n cyffwrdd â chroen, mae'n newid siâp i ffitio'n dynn. Dyna pam dwi'n gwisgo menig i drin y breichledi, neu bydden nhw'n cau am fy mysedd i.'

Tractor oedd y plentyn nesaf yn y rhes.

'Enw?' meddai Miss Cilcoed.

'Tractor Thom—' meddai Tractor. 'Ym, Anni Thomas.'

'Tractor?' meddai Miss Cilcoed, gan godi un ael.

'Stori hir, Miss,' meddai Tractor.

'Hmmmm,' meddai Miss Cilcoed, gan roi breichledi am freichiau mawr Tractor. 'A beth yn y byd wyt ti'n ei wisgo?'

'Ym,' meddai Tractor, gan gochi, 'do'n ni ddim yn gallu ffindo dim byd i ffito. Oes gwisg ysgol ddeallus i gael?'

'Down ni o hyd i rywbeth,' meddai Miss Cilcoed, a symud ymlaen at Cadi.

Pan oedd pawb yn gwisgo dwy freichled yr un, dwedodd Miss Cilcoed:

'Dr ab Einion, agorwch y porth os gwelwch yn dda.'

Dechreuodd Dr ab Einion balfalu yn yr awyr o'i flaen â'i law chwith. Yna cydiodd yn rhywbeth anweledig a thynnu'n sydyn, fel petai'n rhwygo papur o wal. Ymddangosodd rhyw siâp annelwig, disglair. I ddechrau, ar ôl tywyllwch yr ogof, roedd y golau'n rhy lachar i Cadi weld dim, ond wrth i'w llygaid arfer, gwelodd ei bod fel petai'n edrych trwy ffenest ar wlad heulog. Eto, doedd y siapiau ddim yn hollol glir nac yn llonydd. Roedd fel petai'n edrych trwy ddŵr crychog, neu wydr anwastad. Roedd coed derw ym mhob man, a rhwng eu canghennau cafodd gip ar lyn glas, ac ynys ynddo lle safai adeiladau hardd. Yn y pellter, roedd mynyddoedd â chopaon gwyn. Gallai glywed y gwynt main ar ei hwyneb: er gwaetha'r heulwen, roedd hi cryn dipyn yn oerach yn y Byd Arall. Roedd rhywbeth od am yr olygfa, ond allai Cadi ddim meddwl beth oedd yn wahanol. Ond yna, gwaeddodd yn uchel:

'Sdim dail ar y coed!'

'Nag oes,' meddai Miss Cilcoed. 'Mae hi'n aeaf o hyd yn Annwfn. Gobeithio bo' chi i gyd wedi dod â'ch cotiau! Nawr, pwy sy'n mynd i fynd gyntaf?'

5

Gwlad y Tylwyth Teg

EDRYCHODD PAWB AR ei gilydd.

'Dyw e ddim yn brifo,' meddai Miss Cilcoed.

'Af i, 'te,' meddai Cadi, gan geisio swnio'n ddewrach nag yr oedd hi'n teimlo.

Gwenodd Miss Cilcoed arni.

'Go dda, Cadi,' meddai'n siriol.

Roedd coesau Cadi'n crynu wrth iddi gamu tuag at y porth. Llyncodd ei phoer, cau ei llygaid yn dynn a chamu drwyddo. Teimlodd bigiadau bach ar ei chroen, fel sioc drydan wan am ennyd, ac roedd y breichledi am ei garddyrnau'n gynnes. Yna, teimlai awyr oer a heulwen gwan ar ei hwyneb. Agorodd ei llygaid. Roedd hi yn Annwfn. Trodd i edrych y tu ôl iddi. Gallai weld y porth â'i ymylon blêr yn crogi yn yr awyr rhwng dwy goeden. Trwyddo, gwelai siapiau'r plant a'r athrawon yn yr ogof dywyll. Gallai glywed eu lleisiau fel petaen nhw ymhell i ffwrdd. Yn sydyn, camodd un yn benderfynol ati, a'r funud nesaf, byrstiodd Tractor trwy'r porth. Bu bron iddi fwrw'n erbyn Cadi, ond camodd yr olaf yn ôl mewn pryd.

'Waw,' meddai Tractor, 'roedd hynna'n *weird.*'

Fesul un, dilynodd gweddill y plant, ac yna'r athrawon a gyrrwr y bws. Dr ab Einion oedd yr olaf, yn edrych braidd yn wyrdd. Pwysodd yn erbyn boncyff coeden i sadio ei hunan.

'Mae'n gas gen i'r daith rhwng y bydoedd,' mwmialodd dan ei wynt.

Trodd Miss Cilcoed at y plant.

'Croeso i Annwfn,' meddai, 'neu *siko* yn Annyfneg. Nawr 'te, dewch gyda fi.'

Annyfneg? Doedd Cadi erioed wedi ystyried y byddai gan y tylwyth teg eu hiaith eu hunain, ond, wrth feddwl am y peth, doedd e ddim yn syndod o gwbl. A fyddai disgwyl iddi ddysgu'r iaith newydd?

Cerddodd Miss Cilcoed i lawr y llethr, gyda'r lleill yn ei dilyn. Cyn hir, trawon nhw ar lwybr llydan oedd yn arwain allan o'r coed. Crynodd Cadi yn y gwynt oer, gan ddymuno ei bod wedi dod â chot gynhesach. Roedd Tractor, nad oedd yn gwisgo cot o gwbwl, bron â sythu. Unwaith eu bod wedi gadael y coed, roedd ganddyn nhw olwg clir o'r llyn anferthol oddi tanyn nhw, a'r ynys ynddo. Roedd pont lydan yn cysylltu'r ynys â'r tir mawr. Roedd yr ynys yn codi'n weddol serth o ddyfroedd y llyn, ac ar ei llethrau roedd tref. Codai tai mewn rhesi, un uwchben y llall. Roedd ganddyn nhw doeau o deils cochion, a ffenestri crwn. Yn ymyl y dŵr roedd y tai yn agos iawn at ei gilydd, gyda strydoedd cul yn gwau eu ffordd rhyngddyn nhw. Yn uwch ar y bryn roedd tai crand, gyda gerddi mawr gwyrdd. Ar gopa'r ynys safai plas mawr, wedi'i wneud o garreg lliw mêl. Gwelodd Cadi dyrau, toeon, a ffenestri di-ri, ferandas, bwtresi a cheiliogod gwynt, ac yn ganolbwynt i'r cyfan, tŵr uchel wedi'i wneud o wydr. Disgleiriai yn yr heulwen fel ei bod hi'n anodd edrych arno. Ar ei ben, roedd yna bolyn tal, ond doedd dim baner yn cyhwfan yno. Roedd dyrnaid o adar mawr lliwgar yn hedfan o'i gwmpas.

'Caerddulas,' meddai Miss Cilcoed, 'hen brifddinas Annwfn. Yn yr hen ddyddiau, pan oedd gennym ni frenhinoedd a breninesau, bydden nhw'n byw yma. Ond nawr mae'r plas yn sefyll yn wag ac yn dawel. "Mieri lle bu mawredd", fel maen nhw'n dweud yng Nghymru.'

'Odyn nhw?' sibrydodd Tractor.

'Well i ni fynd, Morfydd,' meddai Dr ab Einion, 'neu byddwn ni'n hwyr.'

'Wrth gwrs,' meddai Miss Cilcoed. 'Dewch, blant.'

Bant â nhw eto, pawb ond Mr Penfras. Gwelodd Cadi fod hwnnw'n dal i sefyll yn ei unfan yn syllu i lawr ar y ddinas oddi tano. Yn sydyn, plygodd ei ben, fel petai'n moesymgrymu, cyn dilyn y lleill. Trôi'r llwybr o amgylch ysgwydd y bryn, a dyna gyrraedd lawnt lydan. Yn syth o'u blaenau, roedd yna dŷ mawr crand, wedi'i wneud o'r un garreg â'r plas yng Nghaerddulas.

'Dyma'r ysgol,' meddai Miss Cilcoed yn falch.

Gwelodd Cadi fod rhai o'r adar mawr oedd uwchben yr ynys yn troelli yn yr awyr uwchben yr ysgol hefyd. Doedden nhw ddim yn debyg i unrhyw adar roedd hi wedi'u gweld yn ei byd hi. Yn sydyn, sylweddolodd nad adar oedden nhw, ond pobol. Wrth gwrs! Roedd Miss Cilcoed wedi dweud y byddai hi'n dysgu hedfan. Edrychodd yn gegagored, ei chalon yn curo'n gyflymach wrth feddwl y byddai hi, cyn bo hir, yn gallu ymuno â nhw fry yn yr awyr. Ond sut? Roedd gan y bobl hyn adenydd mawr fel rhai pilipala ar eu cefnau. Ai hud oedd e, neu oedden nhw'n fath gwahanol o dylwyth teg i Miss Cilcoed a'i thebyg? Doedd gan honno ddim adenydd, roedd Cadi'n sicr o hynny.

Yna gwelodd nad nhw oedd yr unig rai oedd yn anelu at yr ysgol. Gallai weld grwpiau eraill o blant yn cael eu hebrwng gan athrawon o wahanol gyfeiriadau. Rhaid bod mwy nag un porth i'w byd hi yn nhir yr ysgol. O ble roedd y lleill wedi dod, tybed? O rannau eraill o Gymru? Erbyn hyn, roedden nhw bron â chyrraedd prif fynedfa'r ysgol, sef bwa carreg wedi'i addurno â cherfiadau o ddail, gyda wynebau rhyfedd yn sbecian trwyddyn nhw. Uwchben pig y bwa, darllenodd Cadi 'Croeso i Academi Gwyn ap Nudd'. O dan hyn, roedd yna arysgrif arall, mewn gwyddor ddiarth a oedd yn edrych yn lled debyg i Arabeg neu rywbeth – Annyfneg, siŵr iawn, meddyliodd Cadi.

Safai'r drysau mawr pren ar agor led y pen. I mewn â nhw i gyntedd llydan â llechi glas ar y llawr a nenfwd uchel uwch eu pennau. Esgynnai grisiau bob ochr i orielau uchel, ond aethon nhw'n syth ymlaen, a dod allan eto i'r heulwen gwan. Roedden nhw ar ddarn o dir agored yng nghanol yr adeilad â ffynnon yn y canol, a choed yn erbyn y waliau. Yn nes ymlaen, dysgodd mai 'y Cwad' roedd pawb yn galw'r lle, ac mai coed afalau oedd y coed, gyda'r afalau mwyaf blasus roedd hi wedi'u bwyta erioed, ond ar hyn o bryd roedd eu brigau'n noeth. Aethon nhw i fyny grisiau cerrig yr ochr draw a chyrraedd neuadd hir gyda rhesi o feinciau pren yn wynebu llwyfan isel ar un pen. Roedd dyrnaid o gadeiriau ar y llwyfan, a phulpud pren ar un ochr. Uwchben y cyfan, roedd llun olew anferthol yn dangos dyn ffyrnig yr olwg mewn clogyn tywyll ar gefn ceffyl gwyn a garlamai'n wyllt trwy'r cymylau, gyda chŵn gwyn â chlustiau cochion yn rhuthro bob ochr iddo. 'Gwyn ap Nudd gan Brochfael Ddu' meddai'r pennawd odano.

Trodd Miss Cilcoed i wynebu'r plant oedd yn llifo i mewn i'r neuadd, a dweud mewn llais clir:

'Dewch i mewn yn dawel, ac eisteddwch ar y meinciau. Bydd y Prifathro, yr Athro Gwyddno Garwyn, yn eich annerch yn y man.'

Gyda hynny, aeth hi a'r athrawon eraill i eistedd ar y cadeiriau ar y llwyfan. Aeth Cadi i eistedd ar y fainc agosaf, ond rhuthrodd merch benddu â sbectol gron o'i blaen, gan daenu cotiau a sgarffiau dros y fainc.

'Fi a'n ffrindie sy'n eistedd fan hyn,' meddai'n swta. 'Bydd rhaid i ti fynd i rywle arall.'

'O, sori,' meddai Cadi mewn sioc.

'Beth sy'n bod ar honna, dwed?' meddai Tractor, gan eistedd ar y fainc nesaf. 'Mae croen ei thin ar ei thalcen hi, glei!'

Eisteddodd Cadi wrth ei hymyl. Rhegodd dan ei gwynt pan eisteddodd Tom Jarvis yr ochr arall iddi.

'You can translate for me if he uses any big words,' meddai. Ac yna: 'Do you really believe that none of them can speak English?'

Cododd Cadi ei hysgwyddau. Doedd hi ddim am ddechrau sgwrs gyda Tom Jarvis.

'I bet some of these kids can't speak Welsh,' aeth yn ei flaen. 'I mean, edrych ar y bachgen yna, dydy e ddim yn siarad Cymraeg, no way!'

Amneidiodd ar fachgen croendywyll yn y rhes o'u blaen gyda sgarff Manchester United am ei wddf. Cochodd Cadi pan drodd hwnnw ei ben ac edrych yn syth ar Tom.

'Mae golwg yn gallu bod yn dwyllodrus, mêt,' meddai ag acen gref Gwynedd.

'Mae'n ddrwg gen i am Tom,' meddai Cadi, 'mae e'n anghwrtais iawn. Roedden ni yn yr un ysgol...'

'Paid â phoeni,' meddai'r bachgen yn glên.

Estynnodd ei law.

'Mohammed Idris,' meddai.

'Cadi Williams,' meddai Cadi, gan ysgwyd ei law, 'a dyma Tractor Thomas.'

'Tractor?' meddai Mohammed.

'Stori hir,' meddai Tractor.

'Ti 'di cwrdd â Tom Jarvis yn barod,' aeth Cadi yn ei blaen.

'Yndw,' meddai Mohammed, gan estyn ei law eto. 'Braf cwarfod chdi, Tom.'

Ond roedd Tom wedi pwdu, a doedd e ddim am siarad â Mohammed. Mor wahanol oedd pethau nawr, meddyliodd Cadi. Doedd Tom ddim mor hyderus yma, lle roedd yn gorfod siarad Cymraeg, a lle nad oedd ganddo griw o ddilynwyr i chwerthin ar ei jôcs. Roedd Cadi eisoes wedi gwneud dau ffrind newydd, ond y cwbl roedd Tom wedi'i wneud oedd pechu pawb. Eto, doedd Cadi ddim yn teimlo piti drosto. Cymaint o ofid roedd wedi'i achosi iddi dros y blynyddoedd, ac yn sydyn, fe oedd yr un gwan. Gallai dalu'r pwyth yn ôl ond gwyddai nad oedd hynny'n garedig. Byddai Mrs Evans yr Ysgol Sul yn dweud y dylai droi'r foch arall. Ond doedd Cadi ddim eisiau gwneud hynny. Am y tro cyntaf yn ei bywyd, roedd hi'n teimlo'n bwerus, ac roedd hi eisiau i Tom Jarvis ddioddef, fel roedd hi wedi'i wneud.

Torrwyd ar draws ei meddyliau pan gerddodd dyn

mawr ar y llwyfan. Roedd yn sgwâr fel wardrob, a chlogyn o blu amryliw am ei ysgwyddau dros siwt dywyll, a edrychai braidd yn flêr, yn enwedig wrth ochr un Mr Penfras. Dim ond un llygad oedd ganddo, ac roedd hwnnw'n las fel iâ ar lyn yn heulwen y gaeaf. Rhythai ar y plant o dan fwng o wallt gwyn. Roedd patshyn du dros y llygad arall. Yn ei law chwith, cariai ffon fawr gnotiog, ond dim ffon gerdded hen ŵr eiddil oedd hi. Roedd hwn yn iach fel cneuen. Brasgamodd yn bwrpasol ar draws y llwyfan tuag at y pulpud. Roedd yr athrawon wedi codi i'w gyfarch. Ac yna, wedi eistedd eto. Roedd y plant, oedd wedi bod yn sgwrsio'n swnllyd ac yn llawn cyffro, wedi distewi wrth iddo gyrraedd. Am eiliadau, doedd dim sŵn i'w glywed o gwbwl. Yna, cododd y dyn mawr ei ffon a'i tharo'n galed yn erbyn estyll pren y llwyfan. Er mawr syndod i bawb, saethodd gwreiddiau o waelod y ffon ac ar yr un pryd, tyfodd canghennau o'i phen arall, ac o fewn eiliadau roedd dail wedi egino, ac yna blodau mawr coch. Cododd y dyn ei ddwy law at ei drwyn ac anadlu arnyn nhw. Yn sydyn, hedfanodd pâr o adar suo lliwgar o'i ddwylo, a hofran ar bwys y blodau, gan sugno'r neithdar. Syllodd y plant yn gegagored. Trodd y dyn atyn nhw, a dweud mewn llais mawr dwfn:

'*Siko Lelekis* Gwyn ap Nudd! Croeso i Academi Gwyn ap Nudd! Fy enw i yw'r Athro Gwyddno Garwyn, Prifathro'r Ysgol. Ysgol Swynion yw hon. Os gweithiwch

chi'n galed, byddwch chi hefyd yn gallu gwneud hyn...
a mwy! Pob lwc i chi i gyd.'

Ac yna, camodd i ffwrdd i eistedd gyda gweddill
yr athrawon. Roedd yn amlwg nad oedd yn hoff o
areithiau hirwyntog. Roedd pawb yn ddistaw am
funud. Yna cododd Mohammed ar ei draed a dechrau
curo dwylo'n frwd. Ymunodd gweddill y plant, fel bod
sŵn y gymeradwyaeth yn fyddarol. Trodd Mohammed
i edrych ar Cadi a Tractor. Roedd ei lygaid yn fawr ac yn
grwn fel soseri.

'Waw!' meddai. 'Cŵl!'

6

Cacwn Cêt

AR ÔL I'R gymeradwyaeth dawelu o'r diwedd, cododd Miss Cilcoed. Rhannodd y plant i gyd yn grwpiau a phenodi athro i bob un grŵp i esbonio mwy am yr ysgol. Roedd Cadi'n falch ei bod hi yn yr un grŵp â Tractor a Mohammed, ond yn llai balch bod Tom Jarvis a'r ferch benddu sbectolog oedd wedi gwthio o'i blaen gynnau yn gwmni iddyn nhw. Heledd Bowen oedd ei henw hi, ac roedd ganddi feddwl mawr ohoni ei hun. Roedd ei ffrindiau, Ffion, Karen a Beca, yn ei dilyn i bob man, ac yn chwerthin ar ei jôcs, yn union fel yr oedd Kevin Burgess gyda Tom Jarvis yn Ysgol Llanfair.

Daeth athrawes ifanc hawddgar yr olwg atyn nhw. Roedd hi'n gwisgo dyngarîs streipiog, ac roedd blodyn mawr melyn yn ei gwallt. Gwenodd yn hapus ar y plant.

'Helô!' meddai. 'Fy enw i yw Awel Henwen. On'd yw hyn yn gyffrous?'

Dilynodd y grŵp hi i ystafell ddosbarth gyfagos, gyda

ffenestri tal oedd yn dangos golygfa hyfryd y tu allan. Eisteddodd hi ar ben desg a chroesi ei choesau.

'Chi'n blant lwcus iawn,' meddai, a'i llygaid gwyrdd yn pefrio. 'Chi yw disgyblion cyntaf Academi Gwyn ap Nudd!'

'Ysgol newydd yw hon?' gofynnodd Tractor yn syn. 'Ond mae popeth yn edrych mor hen!'

'A,' meddai Miss Henwen, 'mae'r ysgol yn newydd, ond mae'r adeilad yn hen. Tŷ haf y teulu brenhinol oedd hwn slawer dydd.'

'Be ddigwyddodd i'r teulu brenhinol?' gofynnodd Mohammed.

Ond cyn y gallai Miss Henwen ateb, cododd Heledd Bowen ar ei thraed. Roedd smotiau coch ar ei bochau, ac roedd ei dyrnau wedi'u cau.

'Cawson nhw eu herlid o 'ma,' dwedodd rhwng ei dannedd.

'Wel...' meddai Miss Henwen, wedi'i tharo oddi ar ei hechel gan y dicter yn llais Heledd. 'Ym... mae'n wir bod rhai wedi ffoi, a bod eraill wedi treulio cyfnod yn y carchar ar ôl y chwyldro, ond hen hanes yw hynny nawr. Mae pawb wedi anghofio am y cyfnod... ym... anffodus yna.'

'Dim pawb sy wedi anghofio,' meddai Heledd. 'Dim Cacwn Cêt!'

'Pwy yw Cacwn Cêt?' gofynnodd Tractor.

'Criw sy'n ffyddlon i'r teulu brenhinol,' meddai Miss

Henwen. 'Breningarwyr, gallech chi ddweud. Maen nhw'n driw i'r hen frenhines sy'n alltud. Mae'r etifedd yn galw ei hunan yn Cêt – rhyw enw Saesneg rhyfedd, am wn i. Ffugenw, mae'n rhaid. Does neb wedi'i gweld hi, a does neb yn gwybod ble mae hi'n byw, ond mae Cacwn Cêt wedi tyngu llw y byddan nhw'n ei gosod ar yr orsedd yng Nghaerddulas.'

Pwyntiodd Heledd at fathodyn du a melyn ar ei siaced gyda llun o ddwrn a choron uwch ei ben.

'Daw ein dydd!' meddai'n bendant.

'Well i ti beidio gwisgo'r bathodyn yn yr ysgol,' meddai Miss Henwen mewn llais gofidus. 'Mae Cacwn Cêt yn fudiad anghyfreithlon. Gallet ti fynd i helynt.'

'Chi'n gweld?' meddai Heledd yn uchel. 'Dyna beth ni'n wynebu oherwydd ein daliadau gwleidyddol!'

Eto i gyd, tynnodd y bathodyn a'i roi ym mhoced ei siaced.

'Pam agor ysgol nawr, Miss?' gofynnodd Cadi, er mwyn troi'r sgwrs.

Roedd y rhyddhad ar wyneb Miss Henwen yn amlwg.

'Cwestiwn da!' meddai'n frwdfrydig. 'Mae llai o ddylwyth teg nag erioed o'r blaen, ond dim prinder gwaith, yn enwedig casglu dannedd. Felly, penderfynodd Llywodraeth Gweriniaeth Annwfn ei bod hi'n amser elwa ar yr holl deuluoedd yng Nghymru sydd â rhywfaint o waed y tylwyth teg ynddyn nhw. Wrth gwrs, mae nifer o aelodau'r rhain wedi dod aton ni yn Annwfn o'r blaen, a hyd yn oed ambell un heb ddiferyn o waed hud yn ei gorff, ond dy'n ni erioed wedi recriwtio fel hyn o'r blaen. Yma byddwch chi'n dysgu'r holl swynion sydd eu hangen i wneud gwaith bob dydd y tylwyth teg. Cyffrous, on'd yw e? Nawr, oes gan rywun arall gwestiwn?'

'Pryd byddwn ni'n dysgu shwt i gasglu dannedd?' meddai Gwenno Jones.

'Dim yn y flwyddyn gyntaf,' meddai Miss Henwen. 'Bydd rhaid i chi ddysgu pob math o swynion cyn mentro i stafelloedd gwely plantos bach i gasglu dannedd.'

'Pam mae'n aeaf fan hyn?' gofynnodd Tractor. 'Diwedd yr haf yw hi yng Nghymru.'

'Pan fydd hi'n haf yn eich byd chi, bydd hi'n aeaf fan hyn,' esboniodd Miss Henwen, 'ac fel arall. Dwedodd un o'ch beirdd, Dafydd ap Gwilym, fod dail yr haf yn treulio'r gaeaf yn Annwfn, ac roedd e'n iawn, mewn ffordd. Mae'n siŵr bydd Dr ab Einion yn esbonio hyn i chi yn y man.'

Edrychodd ar y plant yn ddisgwylgar.

'Rhywbeth arall?'

Cododd Tom Jarvis ei law.

'Can you speak English, Miss?' gofynnodd.

Crychodd Miss Henwen ei haeliau.

'Mae'n ddrwg gen i,' meddai, 'beth ddwedest ti?'

'Gofyn oedd e ydych chi'n siarad Saesneg, Miss,' dwedodd Cadi.

Chwarddodd Miss Henwen.

'Does bron neb yn Annwfn yn siarad Saesneg,' meddai hi. 'O, arhoswch, galla i ddweud un peth: *iw haf y big nôs*. Dyna beth yw "Shw mae?" ondife?'

Tro y plant oedd hi i chwerthin.

'Dwi'n credu bod rhywun 'di bod yn tynnu'ch coes, Miss,' meddai Mohammed.

'Www,' meddai Miss Henwen, ar ôl iddyn nhw esbonio beth roedd hi newydd ddweud, 'mae Mr Penfras yn ddyn drwg!'

'Beth am Annyfneg, Miss?' meddai Cadi. 'Fydd rhaid i ni ddysgu'r iaith?'

'Na fydd,' meddai Miss Henben. 'Hynny yw, fydd dim rhaid i chi fod yn rhugl. Bydd angen rhywfaint ar gyfer rhai swynion, ond bydd y gwersi i gyd yn Gymraeg. Ychydig iawn o dylwyth teg sy'n siarad Annyfneg erbyn hyn, yn enwedig yn yr ardal hon.'

'Ydych chi'n gallu'i siarad hi?' gofynnodd Cadi.

'Nadw wir,' meddai Miss Henwen. 'Roedd fy nhad-cu'n siarad Annyfneg, ond magodd e ei blant i siarad Cymraeg yn unig. Iaith y dyfodol, medde fe.'

Gwnaeth Tom Jarvis sŵn aflafar, fel petai'n tagu, ac anelodd Cadi gic at ei goes dan y ddesg. Anwybyddodd Miss Henwen hyn, a mynd yn ei blaen:

'Dim ond yr Athro Garwyn a Mr Penfras sy'n siarad Annyfneg yn hollol rugl. Mae Dr ab Einion a Miss Cilcoed yn ysgolheigion Annyfneg penigamp, wrth gwrs, ond Cymraeg maen nhw'n siarad bob dydd.'

'Mae Dad yn dweud ei bod yn warthus bod y tylwyth teg yn colli eu hiaith,' meddai Heledd Bowen.

'Ody dy dad yn siarad Annyfneg 'te?' meddai Cadi.

Cwestiwn diffuant oedd e, ond roedd hi'n amlwg ei fod wedi codi gwrychyn Heledd.

'Na,' meddai'n oeraidd, 'ond dydy e ddim yn byw yn Annwfn, ydy e? Mae'n byw yng Nghaerdydd, a does dim lot o alw am Annyfneg fan'na, oes e?'

'Paid colli dy limpin,' meddai Tractor, oedd ddim yn hoff o Heledd o gwbl. 'Dim ond gofyn cwestiwn nath hi.'

'Wel falle dylai hi feindio'i busnes,' chwyrnodd Heledd.

'Iawn,' meddai Miss Henwen yn glou, gan edrych yn anghyfforddus gyda'r holl gwympo mas, 'falle taw dyna ddigon o gwestiynau. Beth am i ni fynd am daith o gwmpas yr ysgol? Fyddech chi'n hoffi hynny?'

***

Aeth Miss Henwen â nhw i weld yr ystafelloedd dosbarth eraill, yr ystafelloedd cyffredin, y labordai lle bydden nhw'n dysgu gwneud swynion, y cae chwarae, a'r llyfrgell yn llawn hen lyfrau llychlyd, a chasgliad helaeth o sgroliau o risgl bedw yn dangos ysgrifau yn yr un wyddor ryfedd a welodd Cadi uwchben prif ddrws yr ysgol.

'Ble mae'r compiw–, ym, y cyfrifiaduron?' gofynnodd Tom Jarvis.

'Does dim cyfrifiaduron yn Annwfn,' meddai Miss Henwen. 'Bydd rhaid i chi ysgrifennu gyda phapur a phensil.'

'Ond beth os y'n ni moyn chwilio am wybodaeth?' meddai Tractor. 'Ydy hi'n bosib gwglo pethau?'

Gwgodd Miss Henwen.

'Glwglo? Beth yw hynny?' meddai hi mewn penbleth.

Gwnaeth y plant eu gorau i esbonio. O'r diwedd, fe wawriodd ar Miss Henwen.

'Fel y Pwll Gwybodaeth!' meddai.

Edrychodd y plant arni'n ddiddeall, felly arweiniodd nhw i ystafell fechan gron drws nesaf i'r llyfrgell. Yn y canol, roedd basn mawr carreg a ddaliai rywbeth tebyg i niwl neu fwg gwyn, oedd yn disgleirio'n wan. Roedd pentwr o stribedi o risgl pren ar ford isel yn ymyl y basn, ac ysgrifbin.

'Ry'ch chi'n ysgrifennu'ch cwestiwn ar ddarn o risgl a'i daflu i'r Pwll,' meddai Miss Henwen. 'Rhaid ysgrifennu mewn Annyfneg, fodd bynnag, felly dim ond ysgolheigion da fel Miss Cilcoed a Dr ab Einion sy'n gallu gofyn cwestiynau cymhleth i'r Pwll. Mae Mr Penfras yn cael trafferth ambell waith, achos bod iaith ei aelwyd yn wahanol i Annyfneg Clasurol. Dim ond cwestiynau syml iawn galla i eu gofyn i'r Pwll.

Gadewch i fi feddwl... Beth am "pryd mae pen-blwydd Mohammed?"'

Ysgrifennodd rywbeth ar stribedyn o risgl, gan ddefnyddio'r wyddor Annyfneg, ac yna taflu'r stribedyn i'r Pwll. Diflannodd i'r mwg gwyn a chwyrlïai yn y basn. Am funud, ni ddigwyddodd dim. Yna dechreuodd y mwg newid lliw. Aeth yn las llachar, ac yna'n raddol fe drodd yn biws ac yna'n goch. Aeth y golau'n gryfach ac yn gryfach, nes bod wynebau'r plant a Miss Henwen yn troi'n goch hefyd. Yn sydyn, hedfanodd rhywbeth o ganol y mwg. Fe ddaliodd Miss Henwen e yn ei dwylo. Y stribedyn o risgl oedd e, ond nawr roedd yna linell arall o ysgrifen o dan yr hyn roedd Miss Henwen wedi'i ysgrifennu. Mwmialodd Miss Henwen i'w hunan wrth ei darllen.

'Y pymthegfed o Fedi,' meddai hi. 'Ydy hynny'n gywir?'

'Yndi!' meddai Mohammed, ei lygaid yn fawr mewn syndod. 'Anhygoel!'

Gwenodd Miss Henwen yn fodlon. Yna, yn y pellter, fe ganodd cloch.

'Iawn 'te,' meddai. 'Amser cinio! Dwi'n llwgu!'

Ymunon nhw â gweddill y plant yn y ffreutur. Doedd Cadi ddim wedi bod yn edrych ymlaen at amser cinio. Y bwyd oedd yr unig beth nad oedd hi'n hoffi am Ysgol Llanfair. Ar ben pella'r ffreutur, y tu ôl i grochan anferthol, safai menyw fawr â wyneb coch cyfeillgar yn gwisgo ffedog wen. Yn ei hymyl, roedd bwydlen ar fwrdd du wedi'i hysgrifennu'n fân fân. Ffurfiodd y plant giw hir, ac wrth i Cadi fynd yn nes at y blaen, gwelodd fod y fwydlen yn cynnwys bron pob bwyd dan haul: pysgod a sglodion, cyw iâr, cyrri, *lasagne*, omlet, tato pob, pitsa, sosejis a thato stwnsh, byrgyr mewn byn, uwd, creision ŷd, cacen siocled, ffa pob, cracyrs a chaws, ac yn y blaen, ac yn y blaen. Eto i gyd, dim ond un crochan oedd yno. Ble roedd y bwyd i gyd? Gwyliodd Cadi'n astud wrth i'r ddau fachgen o'i blaen gyrraedd y crochan.

'Byrgyr, pys, a jeli a hufen iâ, plis,' meddai'r bachgen cyntaf.

'Pysgod a sglodion, a phwdin Nadolig,' meddai'r llall.

Plymiodd y gogyddes ei lletwad i'r crochan, a tharo byrgyr, pys, jeli a hufen iâ ar un plât, a physgod, sglodion a phwdin Nadolig ar y llall. Crochan hud!

'Helô, cariad,' meddai hi wrth Cadi. 'Beth hoffet ti?'

'Ym, pitsa a tships, plis,' meddai Cadi, 'a roli poli i bwdin.'

'Dim problem,' meddai'r gogyddes, ac o fewn dim roedd Cadi'n bwyta'r pitsa gorau roedd hi erioed wedi'i flasu, gyda sglodion perffaith, a roli poli nefolaidd i orffen ei phryd.

'Mae'r ysgol 'ma'n ffantastig,' meddai wrth Tractor.

'Ody,' atebodd Tractor trwy lond ei cheg o sbageti boloneis.

Doedden nhw ddim cweit mor siŵr awr yn

ddiweddarach, yng nghanol darlith hir a diflas gan Dr ab Einion ar wyddoniaeth hud. Roedd pawb yn siomedig nad oedd yn bwriadu gwneud unrhyw swynion, heb sôn am eu dysgu nhw sut i'w gwneud.

'Dim eto,' meddai'r Doctor. 'Cewch chi'ch siawns cyn bo hir, ond yn gyntaf, dwi am i chi ddeall beth yw "hud a lledrith". Fel y gwelwch chi yn y man, gwyddoniaeth yw hud, mewn gwirionedd. Yn ôl Taliesin ap Rhufon, fy hen athro...'

Bu bron i Cadi gwympo i gysgu ar ei desg, ac roedd hi'n hynod o falch pan gyhoeddodd Dr ab Einion ei bod hi'n amser iddyn nhw fynd adref. Wrth i'r plant i gyd neidio ar eu traed a'i heglu hi am y drws, baglodd Tom Jarvis a gollwng ei fag. Cwympodd llyfrau, pensiliau a phapurach dros y lle i gyd. Doedd Cadi ddim mor flin â Tom erbyn hyn: wedi'r cwbl, efallai nad oedd cynddrwg â'r hen Heledd Bowen yna, meddyliodd. Felly stopiodd i'w helpu. Plygodd i godi ychydig o daflenni oedd wrth ei thraed. Yn eu mysg, daliodd rhywbeth ei sylw: carden y newyddiadurwr Barti John. Safodd, gan syllu arni am funud. Yna cipiodd Tom hi o'i dwylo.

'Give that here,' meddai'n chwyrn.

'Ond Tom,' meddai Cadi, 'ti ddim yn mynd i siarad ag e, wyt ti?'

'None of your business if I do,' meddai yntau, gan droi ar ei sawdl a cherdded oddi wrthi.

1

Y Gwyddonydd

AETH Y DYDDIAU nesaf heibio mewn fflach. Bob bore, byddai Cadi'n aros y tu allan i'w thŷ am yr hen fws rhydlyd. Byddai'r gyrrwr llwydaidd yr olwg yr un mor dawel ag erioed, ei glustffonau wedi'u sodro ar ei ben. Byddai Cadi'n eistedd gyda Tractor, ac yn anwybyddu Tom Jarvis orau y gallai. Yn yr ogof, byddai'n gwneud yn siŵr bod ei breichledau am ei garddyrnau pan fyddai'r gyrrwr yn agor y porth. Byddai'n teimlo'r pigiadau bach ar ei chroen, a byddai hi yn Annwfn unwaith eto. Ac yna, byddai'r gwersi'n dechrau.

Gyda Miss Cilcoed roedden nhw'n dysgu am hanes a diwylliant Annwfn, ac am rôl y Tylwyth Teg ym mywyd pobl Cymru ers amser Pwyll Pendefig Dyfed.

'O'r Mabinogi?' gofynnodd Mohammed. 'Ro'n i'n meddwl mai stori oedd y Mabinogi i gyd.'

'O nage,' meddai Miss Cilcoed, 'dim o gwbwl. Cwrddais i â Rhiannon, gwraig Pwyll, unwaith. Roedd hi braidd yn snobyddlyd, a dweud y gwir.'

'Mae hi'n dal yn fyw?' gofynnodd Mohammed yn syn.

'Dwi ddim yn siŵr,' meddai Miss Cilcoed, 'ond mae'n bosib. Ry'n ni'r tylwyth teg yn byw am gannoedd o flynyddoedd, chi'n gwybod.'

'Faint ydi'ch oed chi, Miss?' meddai Mohammed.

'Twt, Mohammed,' meddai Miss Cilcoed. 'Am gwestiwn anghwrtais! Fydd gŵr bonheddig byth yn gofyn!'

Wedyn, byddai Dr ab Einion yn rhygnu ymlaen am oriau am egwyddorion hud. Ond gyda Mr Penfras a Miss Henwen dechreuon nhw ddysgu swynion syml – sut i agor drws o bell, neu sut i newid lliw carreg. Un o'r swynion cyntaf ddysgon nhw gan Mr Penfras oedd swyn mwydro, a fyddai'n llenwi'r ystafell â mwg trwchus fel na allai neb weld dim, heblaw'r un oedd wedi gwneud y swyn, a allai weld popeth. Cawson nhw hwyl yn gwylio eu cyd-ddisgyblion yn baglu dros ei gilydd ac yn cerdded i mewn i'r desgiau. Amser cinio, byddai'r crochan hud yn eu darparu ag unrhyw fwyd roedden nhw'n dymuno. Ond yn fwy nag unrhyw beth, roedd Cadi'n dymuno dysgu sut i hedfan.

'Bydd yn amyneddgar,' meddai Miss Henwen wrthi, pan ofynnodd am y canfed tro am wersi hedfan. 'Mae'n rhaid i ti gropian cyn cerdded, a cherdded cyn hedfan.'

Y peth arall oedd ar feddwl Cadi oedd ei mam. Un

bore, arhosodd ar ddiwedd un o wersi Miss Cilcoed er mwyn ei holi hi ymhellach.

'Alla i dy helpu di?' meddai Miss Cilcoed, wrth bacio ei llyfrau i'w bag, pan ddaeth yn amlwg nad oedd Cadi yn barod i fynd.

'Ym,' meddai Cadi, yn ansicr o sut dylai gychwyn y sgwrs, 'dwedoch chi pan ddaethoch chi i 'nhŷ i, eich bod yn meddwl bod fy mam yn dal yn fyw...'

Edrychodd Miss Cilcoed arni'n garedig.

'Mae'n ddrwg gen i, Cadi,' meddai, 'ddylwn i ddim fod wedi dweud dim am hynny, a chodi dy obeithion. Y gwir yw, does neb yn gwybod beth yw hanes Gwen erbyn hyn. Dwi ddim wedi'i gweld hi ers... wel, ers cyn i ti gael dy eni.'

'O'ch chi'n ei nabod hi'n dda, Miss?' meddai Cadi.

'Oeddwn,' atebodd Miss Cilcoed yn fyfyriol, 'roedden ni'n ffrindiau da ar un adeg, ond... Wel, weithiau mae'n anodd cynnal cyfeillgarwch pan fydd... ym, pan fydd amgylchiadau'n newid. Mae'n siŵr dy fod di'n deall hynny.'

Meddyliodd Cadi am ei ffrind Cadi Ddu a'r ffrae a gawson nhw yn yr haf, a nodiodd.

'Dwi'n gwybod falle na fyddi di'n hoffi'r cyngor yma,' meddai Miss Cilcoed, 'ond dwi'n credu ddylet ti ddim mynd i chwilio am dy fam. Dwi'n ofni na chei di ddim ond siom. Nawr, bant â ti, neu chei di ddim amser i fwyta dy ginio!'

Aeth Cadi i'r ffreutur yn ara deg, gan droi'r hyn roedd Miss Cilcoed wedi'i ddweud yn ei phen. Beth oedd ei mam wedi'i wneud? Pam fod ei chyfeillgarwch â Miss Cilcoed wedi dod i ben? Gwyddai nawr y gallai Miss Cilcoed ddweud rhagor wrthi, ond gwyddai hefyd na fyddai'n fodlon gwneud. Er gwaethaf ei rhybudd, roedd Cadi'n fwy penderfynol nag erioed o ffeindio ei mam, ond doedd hi ddim yn gwybod ble i ddechrau chwilio.

O fewn dim o dro, roedd yr wythnos gyntaf yn Academi Gwyn ap Nudd ar ben, ac roedd penwythnos gartre yn ymestyn o'i blaen. Un o'r pethau roedd Cadi wedi poeni'n fawr amdano oedd sut y byddai'n ateb cwestiynau ei theulu am yr ysgol newydd heb ddatgelu pob peth, ond roedd Mr Penfras wedi esbonio nad oedd rhaid becso am hynny. Roedd yr athrawon wedi gosod swyn ar gartref pob disgybl, fel y byddai eu teuluoedd yn colli diddordeb yn yr ysgol yn fuan iawn. Cofiai Cadi am sut anghofiodd Dad a Sandra yn fuan iawn am y ffaith nad oedden nhw wedi cael gweld yr ysgol cyn i Cadi ddechrau yno. Dyna'r esboniad!

Roedd Llanfair yn teimlo'n ddi-liw ar ôl hud a lledrith Annwfn. Roedd Cadi'n ysu am weld Tractor neu Mohammed eto, i drafod eu hanturiaethau yng Ngwlad y Tylwyth Teg. I wneud pethau'n waeth, roedd y tywydd yn wael ddydd Sadwrn, felly doedd hi ddim yn gallu mynd am dro ar ei beic na chwarae yn yr ardd.

'Gobeithio bydd y glaw wedi peidio erbyn pnawn 'ma,' meddai Sandra.

'Pam?' gofynnodd Cadi'n ddidaro.

'Bois bach, ti ddim 'di anghofio am y gêm fowr, wyt ti?' atebodd Sandra.

Oedd, roedd Cadi wedi anghofio am y 'gêm fowr'. Roedd Dad yn chwarae i dîm 'Henoed' Clwb Rygbi Llanfair mewn gêm yn erbyn 'Henoed' y Bont i godi arian at achos da. Doedd Dad ddim wedi chwarae rygbi ers blynyddoedd, ac roedd e wedi bod yn cwyno pa mor galed oedd yr hyfforddi. Roedd wedi bod yn codi cyn cŵn Caer bob bore ers wythnosau i redeg er mwyn bod yn ddigon heini, ac roedd Sandra wedi bod yn cadw llygad barcud ar yr hyn roedd yn ei fwyta a'i yfed. Dim cacennau, ac, yn waeth byth, dim cwrw.

'O, ie, wrth gwrs,' meddai Cadi.

'Dwi'n edrych mlaen,' meddai Sandra. 'Bydd e'n hwyl. Mae Cadi Ddu'n mynd i fod 'na. Ei hwncwl Wil yw'r capten.'

Teimlodd Cadi fel petai ei stumog wedi troi ben i waered.

'So Cadi'n lico fi rhagor,' meddai mewn llais bach, gan feddwl am yr hyn roedd Miss Cilcoed wedi'i ddweud am gyfeillgarwch.

'So hynny'n wir, cariad,' meddai Sandra. 'Dwi'n gwbod bod y ddwy o'noch chi wedi cwmpo mas, ond chi'n ffrindie ers cyn co. Dwi'n cofio chi gyda'ch gilydd yn y Cylch Meithrin, fel dou fwnci bach drygionus. Mae heddi'n siawns i chi gymodi, falle?'

'Falle…' meddai Cadi, ond roedd arni ofn gweld Cadi Ddu eto. Sut allai hi ateb ei chwestiynau am yr ysgol newydd? Fyddai ddim unrhyw swyn yn rhwystro chwilfrydedd ei ffrind.

Erbyn amser cinio, roedd y glaw wedi peidio a'r haul yn tywynnu, gan greu enfysau bychain yn y diferion ar y dail. Gyda'r tywydd braf, cododd calon Cadi. Stryffaglodd i mewn i'w chrys rygbi Llanfair, a oedd ychydig yn rhy fach iddi erbyn hyn. Roedd hi'n dechrau edrych ymlaen at y gêm nawr. Roedd Dad yn rhedeg o gwmpas y tŷ mewn panics gwyllt wrth chwilio am ei sanau. O'r diwedd roedd e'n barod a cherddodd y teulu cyfan, a Pero, i lawr i'r cae rygbi. Aeth Dad bant i newid ac i gael pregeth funud ola gan yr hyfforddwr. Aeth Sandra i'r bar i brynu diod i bawb, gan adael Cadi ar ei phen ei hunan ar ymyl y cae. Roedd Gethin eisoes wedi gweld un o'i ffrindiau, ac roedd e wedi mynd bant gyda Pero. Gwyliodd Cadi dîm y Bont yn twymo lan ar y cae. Roedd rhai ohonyn nhw'n edrych yn ddychrynllyd o fawr a garw. Yn sydyn, clywodd lais cyfarwydd:

'Cadi, shwt wyt ti, bach?'

Mam Cadi Ddu oedd yn gwenu arni, a thu ôl iddi roedd Cadi Ddu.

'Helô,' meddai Cadi Goch yn swil.

'Helô,' atebodd Cadi Ddu.

'Reit,' meddai mam Cadi Ddu, 'gadawa i chi. Mae'n siŵr bod digon 'da chi i drafod.'

Aeth i ffwrdd, gan adael y ddwy ferch yn sefyll mewn tawelwch anghyfforddus. Gwnaeth Cadi Goch ymdrech i ddechrau sgwrs, ond cymerodd Cadi Ddu arni fod rhywbeth diddorol iawn yn digwydd ben arall y cae. Cyn pen dim, dechreuodd y gêm. Er bod y glaw wedi peidio roedd y cae'n ddigon gwlyb, ac o fewn dim o dro, roedd y ddau bac yn fwd i gyd fel ei bod hi bron yn amhosib gwahaniaethu rhyngddyn nhw. Roedd Shiny yn chwarae ar yr asgell, ac roedd ei grys yn dal yn lân. Y Bont oedd y tîm gorau yn yr hanner cyntaf, a nhw oedd ar y blaen o 16 i 6 ar yr egwyl. Doedd Shiny ddim wedi cyffwrdd â'r bêl, bron.

Erbyn hyn roedd Cadi Ddu wedi diflannu i rywle. Aeth Cadi Goch i chwilio amdani, ond heb lwc. Ailymddangosodd wrth i'r ail hanner ddechrau, gyda phecyn o sglodion, ond chynigiodd hi ddim un i Cadi Goch. Gwnaeth Cadi Goch ei gorau i ganolbwyntio ar y gêm. Roedd hi'n amlwg bod hyfforddwr Llanfair wedi cael geiriau gyda'i dîm yn yr ystafell newid, achos roedden nhw wedi gwella cryn dipyn. Cawson nhw gwpl o giciau cosb, ac yna daeth moment fawr Shiny. Pum munud o'r diwedd cafodd y bêl yn ei ddwylo a rhedodd ugain llath i blymio dros y llinell yn y cornel. Cododd yn un plastr o fwd gan ruo'n fuddugoliaethus.

Roedd Llanfair ar y blaen! Neidiodd Cadi Goch i'r awyr, a heb feddwl, cydio yn Cadi Ddu a rhoi cwtsh mawr iddi.

'Mae dy dad wedi'i hennill hi!' gwaeddodd Cadi Ddu, yn gyffro i gyd, wedi hen anghofio nad oedd hi'n siarad â Cadi Goch.

Ar ôl y chwiban olaf, rhedodd y ddwy i'r cae gyda'i gilydd i longyfarch eu tîm. Roedd Shiny ar ben ei ddigon.

'Weloch chi fi, ferched?' meddai. 'Deugain llath redes i, o leia!'

'Dere i'r bar i gael diod,' meddai Cadi Ddu.

Cerddodd y ddwy fraich ym mraich i gyfeiriad y bar. Yna clywodd Cadi Goch rywun yn gweiddi.

'Hei, carrot top!'

Trodd i weld Tractor yn brysio ati. Roedd Cadi wedi anghofio ei bod yn dod o'r Bont.

'Jiw, jiw, o'ch chi'n lwcus,' meddai hi'n fyr ei gwynt. 'Oedd y bàs i'r lwmpyn moel 'na ar y diwedd filltiroedd mlaen!'

'Ti'n siarad am Dad!' meddai Cadi Goch.

'O, sori,' chwarddodd Tractor. 'Ond, drycha ar hyn!'

Tynnodd ei ffôn o'i phoced.

'Mae Mohammed wedi hala fideo doniol ata i!'

Edrychodd Cadi Goch ar Cadi Ddu, ond roedd wyneb honno wedi caledu. Tynnodd ei braich o fraich Cadi Goch.

'Gadawa i i ti siarad â dy ffrind newydd,' meddai'n bwdlyd gan gerdded i ffwrdd a'i thrwyn yn yr awyr.

'Be sy'n bod ar honna?' meddai Tractor.

'Sai'n gwbod,' meddai Cadi'n drist.

★★★

'Pa mor bell redest ti i sgorio ddoe, Dad?' gofynnodd Gethin fore trannoeth gyda gwên fach slei.

Erbyn diwedd y noson, roedd Dad wedi haeru ei fod wedi rhedeg canllath i sgorio.

'Milltiroedd,' meddai Cadi. 'Roedd e yn Aberaeron pan gath e'r bêl!'

Chwarddodd y ddau'n afreolus.

'Ha ha!' meddai Dad. Yna, yn sydyn, 'hisht!' gan droi'r radio lan. 'Dyma'r dyn ro'n i'n siarad amdano fe, Sandra. Dr John Bartholomew.'

Roedd gwyddonydd yn siarad ar y radio am ryw ffynhonnell newydd o ynni o dan y ddaear: ynni glân, meddai, dim llygredd o gwbl. Doedd Cadi ddim yn deall y manylion, ac yn fuan collodd ddiddordeb. Roedd Dad wrth ei fodd gyda'r math yna o beth. Ynni gwyrdd oedd ei faes e. Roedd y doctor yn sôn am allyriadau carbon, targedau'r Llywodraeth, a phethau felly. Diflas iawn, meddyliodd Cadi. Eto, roedd rhywbeth cyfarwydd am lais y dyn, fel petai wedi'i glywed o'r blaen. Ond sut oedd hynny'n bosib?

Roedd Dad yn ysgwyd ei ben.

'Mae'n swnio'n amhosib,' meddai. 'Dwi ffaelu deall shwt alle fe weitho.'

Cododd Sandra ei hysgwyddau.

'Ti yw'r arbenigwr, George North,' meddai'n goeglyd. 'Ta beth, galli di ofyn iddo fe dy hunan.'

Trawodd y papur i lawr ar y ford o'i flaen.

'Ma fe'n dod i siarad yn Aberystwyth wythnos nesa,' meddai, gan bwyntio at erthygl. 'Yn Adran Ddaearyddiaeth y brifysgol.'

Roedd Cadi ar ei ffordd allan o'r stafell, ond cafodd gip sydyn ar y llun uwchben yr erthygl. 'Dr John Bartholomew' meddai'r pennawd, ond nid wrth yr enw hwnnw roedd Cadi'n ei adnabod. Roedd hi'n syllu i lygaid y dyn yn y crafat piws, y newyddiadurwr Barti John.

8

Hedfan

BORE DYDD LLUN, wrth i Cadi fyrddio'r bws ysgol, sylwodd ar gar du ar y ffordd. Er bod digon o le iddo basio'r bws unwaith bod hwnnw wedi dod i stop, wnaeth e ddim. Yn hytrach, arhosodd yn amyneddgar. Roedd hynny'n taro Cadi'n od, felly taflodd gip sydyn ar y gyrrwr. Roedd yn gwisgo sbectol ddu ac yn siarad ar y ffôn. Dim mor od wedi'r cwbl, meddyliodd. Mae'n rhaid ei fod e wedi cael galwad bwysig, ac wedi stopio'r car i ateb y ffôn. Cododd Cadi ei llaw ar Sandra, a dringo i'r bws. Aeth i eistedd gyda Tractor, fel arfer.

'Shwt mae dy ffrind bach o'r clwb rygbi?' gofynnodd yr olaf. 'Oes bola tost 'da hi?'

'Pam?' atebodd Cadi'n ddryslyd.

'Wel, oedd hi wedi llyncu mul pwy noson, on'd oedd hi?' meddai Tractor.

'Paid becso amdani hi,' meddai Cadi, 'mae gen i ddirgelwch i ti.'

Edrychodd y tu ôl iddi i wneud yn siŵr nad oedd

Tom o fewn clyw, ond roedd hwnnw'n brysur yn syllu trwy ffenest gefn y bws. Mewn llais isel, esboniodd Cadi am Barti John y newyddiadurwr oedd â diddordeb yn yr Ysgol Swynion, a'i fywyd dwbl fel gwyddonydd yn datblygu math newydd chwyldroadol o ynni gwyrdd.

'Od,' meddai Tractor. 'Ddylen ni ddweud rhywbeth wrth yr athrawon?'

Nodiodd Cadi. 'Syniad da,' meddai.

Erbyn hynny, roedd y bws wedi troi oddi ar y brif ffordd, ac roedden nhw'n teithio trwy'r mynyddoedd anghyfannedd. Yn sydyn, gwelodd Cadi yn nrych y gyrrwr fod car tywyll y tu ôl iddyn nhw. Ai'r un car oedd e? Allai hi ddim bod yn sicr.

'Dwi'n credu bod rhywun yn ein dilyn ni,' sibrydodd wrth Tractor, gan bwyntio at y drych. Ond erbyn hynny, roedden nhw wedi troi cornel, a doedd dim golwg o'r car.

'Ti'n siŵr bod ti ddim yn dychmygu pethe?' meddai Tractor.

Ysgydwodd Cadi ei phen. Syllodd y ddwy ar y drych am sbel, ond ni ymddangosodd y car. Efallai bod Tractor yn iawn, meddyliodd Cadi: mae'n rhaid 'mod i'n dychmygu pethau. Ond yna, daeth y car, neu un arall tebyg iawn, i'r golwg eto, yn bell y tu ôl, ond yn dal i deithio i'r un cyfeiriad. Y tro hwn, gwelodd Tractor ef hefyd. Pan stopiodd y bws ar bwys yr ogof, edrychodd Cadi y tu ôl iddi yn nerfus, ond welai hi ddim byd. Disgynnodd pawb o'r bws a dilyn y gyrrwr i'r ogof. Wrth geg yr ogof edrychodd Cadi dros ei hysgwydd eto. Roedd hi'n meddwl ei bod wedi gweld symudiad wrth ymyl y bws, fel petai rhywun wedi cilio'n sydyn y tu ôl i lwyn eithin, ond allai hi ddim bod yn sicr. Ysgydwodd ei phen a dilyn y lleill i gyfeiriad yr ogof. Roedd aderyn du'n sefyll ar ben carreg yn ymyl y nant – jac-do. Trodd ei ben i un ochr a syllu arnyn nhw â'i lygad gwelw wrth iddyn nhw basio a mynd i mewn i'r ogof. Meddyliodd Cadi am y jac-do roedd hi wedi'i weld yn yr haf cyn ymweliad Miss Cilcoed, ond yna ysgydwodd ei phen eto. Doedd jac-dos ddim yn adar prin – cyd-ddigwyddiad oedd e, does bosib.

Yn yr ysgol, aeth Cadi a Tractor yn syth at Miss Cilcoed er mwyn esbonio am Barti John, ond cyn iddyn nhw gael cyfle, rhedodd plentyn arall ati gan ddweud:

'Miss! Miss! Mae Aled Thomas a Ben Kowalski'n ffeito!'

'Mae'n ddrwg gen i, ferched,' meddai Miss Cilcoed, 'rhaid i fi fynd i roi stop ar hyn. Allwn ni siarad amser chwarae?'

A bant â hi. Yn sydyn, dwedodd llais y tu ôl iddyn nhw:

'Alla i helpu?'

Trodd y ddau i weld Mr Penfras yn ei siwt dywyll. Am ryw reswm, roedd Cadi'n gyndyn o ddweud dim wrtho, ond roedd Tractor eisoes wedi dechrau ar y stori.

Gwrandawodd Mr Penfras yn astud, heb ddweud dim nes bod y merched wedi gorffen. Dechreuodd Tractor sôn am y ffaith bod gan Tom Jarvis garden Barti John hefyd, ond torrodd Cadi ar ei thraws.

'Mae'n bosib ei fod e wedi cysylltu â disgyblion eraill,' meddai. 'Falle bod rhai am siarad ag e.'

'Hmmm, wela i. Wel, diolch am adael i fi wybod. Does dim rhaid i chi boeni am hyn. Well i chi beidio â sôn wrth neb, dim disgyblion nac athrawon. Dwi ddim eisiau i neb fecso. Iawn? Nawr 'te, rhaid i chi fynd neu byddwch chi'n hwyr i'ch gwers.'

A chyda hynny, trodd a brasgamu i ffwrdd.

'Pam na wedest ti am y snichyn Tom Jarvis?' gofynnodd Tractor.

'Sai'n lico Tom, fel ti'n gwbod,' meddai Cadi, 'ond mae rhaid bod yn deg. So ni'n gwbod bod e wedi siarad â Barti John, odyn ni?'

'Betia i ei fod e!' meddai Tractor.

***

Aeth tad Cadi i wrando ar Dr John Bartholomew yn siarad yn Aberystwyth yr wythnos honno, a chlustfeiniodd Cadi ar ei sgwrs â Sandra dros frecwast y bore wedyn rhag ofn y byddai'n datgelu rhyw gliw i helpu datrys dirgelwch y ffug newyddiadurwr Barti John. Roedd y ddarlith wedi bod yn siomedig, meddai

Dad: roedd Dr Bartholomew wedi dangos ffilm slic wedi'i gwneud gan ei gwmni, Geotec, yn brolio ei dechnoleg newydd, ond roedd y manylion yn niwlog. *Geotechnical energy* roedd e'n galw'r ynni 'ma, ond doedd neb callach beth yn union oedd e. Pan ofynnwyd cwestiynau iddo gan y gynulleidfa, dwedodd na allai roi rhagor o fanylion oherwydd eu bod yn 'fasnachol sensitif' (beth bynnag yw ystyr hynny, meddyliodd Cadi). Fodd bynnag, roedd wrthi'n datblygu safle ar bwys Arberth yn Sir Benfro, a chyn bo hir, byddai'n gallu dangos i'r byd beth allai'r dechnoleg newydd ei wneud.

'Gawn ni weld bryd hynny, sbo,' meddai Dad.

Os nad oedd Dad ddim callach am beth oedd *geotechnical energy*, doedd Cadi ddim callach pam fod Dr Bartholomew yn esgus bod yn newyddiadurwr o'r enw Barti John, na pham fod ganddo ddiddordeb yn Academi Gwyn ap Nudd. Beth bynnag, roedd Mr Penfras wedi dweud wrthi am beidio â phoeni, felly doedd hi ddim yn mynd i boeni. Doedd hi ddim wedi gweld y car tywyll yn dilyn y bws eto chwaith, ac roedd hi'n meddwl erbyn hyn ei bod wedi dychmygu'r cwbl.

Cyn bo hir, gwthiwyd Barti John a'r car diarth i gefn meddwl Cadi, gan fod rhywbeth mawr a chyffrous yn llenwi gweddill ei phen. Yn ei thrydedd wythnos yn Academi Gwyn ap Nudd, cafodd Cadi ei gwers hedfan gyntaf. Rhannwyd y disgyblion yn grwpiau bychain, ac unwaith eto cafodd Cadi ei hunan dan ofal Miss Henwen, ac unwaith eto yn gwmni i Tractor, Mohammed, Tom Jarvis a Heledd Bowen. Yn ôl ei harfer roedd Miss Henwen yn gyffro i gyd, ac yn mynd dros ben llestri, braidd. Roedd hi'n gwisgo oferôls llachar, gogls a het ddu gyda fflapiau'n gorchuddio ei chlustiau, fel y rhai roedd peilotiaid yr Ail Ryfel Byd yn eu gwisgo. Roedd bocs bach pren dan ei chesail tua'r un maint â bocs esgidiau. Arweiniodd y plant i gornel dawel o'r cae chwarae. Roedd hi'n ddiwrnod braf, gydag awel ysgafn yn ysgwyd brigau'r coed, oedd yn drwm â blagur erbyn hyn. Agorodd Miss Henwen y bocs a gwelodd Cadi ei fod yn llawn waledi bach lledr.

'Iawn 'te, blant,' meddai Miss Henwen, oedd yn gwenu fel giât, ac yn methu sefyll yn llonydd, cymaint oedd ei chyffro, 'cymerwch waled yr un.'

Tyrrodd y plant o gwmpas y bocs. Cyn hir roedd gan bob un waled yn ei law. Agorodd Cadi ei waled hi a gweld pâr o adenydd tebyg iawn i rai pilipala tryloyw, heb gorff, yn cyhwfan yn wan.

'Dyma'ch adenydd chi!' meddai Miss Henwen, gan neidio o goes i goes.

'Ond,' meddai Mohammed, 'maen nhw mor fach. Sut gall rhain ddal ein pwysa?'

'Paid becso, Mohammed,' meddai Miss Henwen, 'bydd yr adenydd yn tyfu pan fyddan nhw'n cyffwrdd â dy gefn. Fel gwelwch chi, mae'r adenydd yn fyw, neu'n lled-fyw o leiaf. Ond does ganddyn nhw ddim corff. Felly unwaith eu bod yn darganfod corff, maen nhw'n dihuno ac yn lledu, nes eu bod yn ddigon mawr a chryf i godi'r corff i'r awyr. Byddan nhw'n ffurfio rhyw fath o bartneriaeth gyda'ch corff, a byddwch yn dysgu sut i'w rheoli gyda'ch meddyliau. Unwaith ry'ch chi'n ôl ar y ddaear gallwch chi fwytho'r lwmpyn bach ar dop yr adenydd, a byddan nhw'n dychwelyd i'r stad gysglyd maen nhw ynddi nawr, a gallwch chi eu tynnu nhw a'u cadw nhw yn y waled 'ma. Dangosa i i chi.'

Tynnodd bâr o adenydd o boced ei hoferôls, a'u gwasgu yn erbyn ei chefn rhwng ei hysgwyddau. Ebychodd y plant yn syn wrth i'r adenydd dyfu'n sydyn nes i'r rhai uchaf ymestyn yn uchel uwch ei phen, tra bod y rhai isaf bron â chyffwrdd y llawr. Fflapiodd nhw ychydig o weithiau'n araf, ac yna'n sydyn neidiodd i'r awyr, troelli uwch eu pennau a glanio eto'n ddestlus. Estynnodd fraich y tu ôl i'w chefn a chyffwrdd â'r lwmpyn. Yn syth, dychwelodd yr adenydd i'w maint gwreiddiol. Tynnodd nhw bant, a'u rhoi i gadw eto.

'Eich tro chi, nawr!' canodd yn llawen.

Edrychodd Cadi ar Tractor, oedd yn welw iawn.

'Mae'n gas gen i hedfan,' meddai. 'Aethon ni i Groeg un flwyddyn, ac ro'n i'n sic ar yr awyren.'

'Byddi di'n iawn,' meddai Cadi. 'Fydd hyn ddim fel bod ar awyren.'

'Na,' meddai Tractor, 'bydd e'n waeth!'

Tynnodd Cadi ei hadenydd o'r waled, a'u gwasgu rhwng ei hysgwyddau, yn union fel yr oedd Miss Henwen wedi gwneud. Yn syth, clywodd deimlad rhyfedd iawn yn lledu dros ei chorff cyfan.

'Mae'n cosi, on'd yw e?' meddai Miss Henwen.

Nodiodd Cadi. O gil ei llygad, gallai weld ei hadenydd mawr tryloyw yn pefrio yn yr heulwen. Yna, cafodd brofiad rhyfeddach fyth. Roedd fel petai rhyw ddrws wedi agor yn ei hymennydd i gornel nad oedd erioed wedi bod yn ymwybodol ohono o'r blaen: y gornel hedfan. Caeodd ei llygaid a dychmygu ysgwyd ei hadenydd. A dyna beth ddigwyddodd. Bu bron i Cadi gwympo, gan fod hyn wedi'i bwrw oddi ar ei hechel, ond llwyddodd i aros ar ei thraed.

'O da iawn, Cadi,' meddai Miss Henwen. 'Arbennig o dda.'

Edrychodd Cadi ar y lleill a gweld eu bod bron i gyd yn cael trafferth. Doedd adenydd Tractor ddim wedi tyfu o gwbl. Roedd adenydd Mohammed yn hongian yn ddiymadferth, ac er bod diferion o chwys ar ei dalcen, ni allai wneud iddyn nhw symud. Roedd adenydd Tom Jarvis, ar y llaw arall, yn fflapio'n wyllt, ac roedd e'n gweiddi mewn braw wrth iddo droi mewn cylchoedd gan geisio cadw ei draed ar y llawr. Rywsut, roedd adenydd Ffion wedi dianc a hedfan i ffwrdd, ac roedd hi'n rhedeg ar eu hôl. Dechreuodd Miss Henwen druan ruthro o un plentyn i blentyn arall, gan geisio cadw rhywfaint o reolaeth dros y sefyllfa. Yr unig un arall nad oedd mewn helynt oedd Heledd Bowen. Roedd hi wedi codi i'r awyr, ac yn cylchu'n araf uwchben yr anhrefn ar y ddaear, gan chwerthin yn sbeitlyd.

'Man a man i fi roi cynnig arni,' dwedodd Cadi wrthi ei hunan.

Ciciodd oddi ar y ddaear, ac yn reddfol dechreuodd ysgwyd ei hadenydd. Cafodd ei hunan yn codi i'r awyr. Roedd hi'n hedfan! Cododd uwchben y coed. Edrychodd i lawr ar Miss Henwen a'r plant yn rhedeg o gwmpas oddi tani fel morgrug. Gallai weld toeon yr ysgol, a thyrau browngoch Caerddulas yng nghanol glesni'r llyn. Roedd hi mor hapus fel ei bod hi'n teimlo fel canu fel aderyn. Trodd i ffwrdd o'r ysgol a hedfan dros y coed.

Yn sydyn, mewn llannerch, gwelodd ddau berson yn sgwrsio'n ddwys: Miss Cilcoed a Dr ab Einion. Er eu bod bron yn sibrwd, gallai Cadi glywed eu lleisiau'n glir.

'Dwi'n gwybod bod Taliesin yn, ym, yn draddodiadol,' roedd Miss Cilcoed yn dweud, 'ond dyw hynny ddim yn erbyn y gyfraith.'

'Ond mae bod yn aelod o Gacwn Cêt yn erbyn y gyfraith,' hisiodd Dr ab Einion.

'Oes gen ti brawf taw dyna beth yw e, Caradog?' meddai Miss Cilcoed yn oer.

'Wel, nag oes,' meddai Dr ab Einion, 'ddim fel y cyfryw...'

'Mae hynny'n gyhuddiad difrifol. Dere'n ôl ata i os ti'n gallu dangos rhywbeth cadarn i fi. Dydd da i ti.'

A chyda hynny, trodd Miss Cilcoed a brasgamu'n ôl am yr ysgol. Ysgydwodd Dr ab Einion ei ben, ac yna ei ddilyn. Teimlodd Cadi'n oer yn sydyn, er gwaethaf yr heulwen ar ei chefn. Taliesin. Roedden nhw wedi bod yn siarad am Mr Penfras. Roedd Dr ab Einion yn ei amau o fod yn aelod o Gacwn Cêt. Ac roedd Cadi a Tractor newydd ddweud popeth wrtho am Barti John. Cofiodd Cadi ei fod wedi'u siarsio am beidio â dweud gair wrth neb arall, gan gynnwys yr athrawon eraill. Pam? Oedd cysylltiad rhwng Barti John a Chacwn Cêt? Beth oedd Cadi wedi'i wneud?

9

Y Dieithryn

DYCHWELODD CADI AT y lleill, ei llawenydd wedi pylu rhywfaint gan bryder. Erbyn hyn, roedd Tom Jarvis hefyd yn yr awyr, ac yn hedfan ychydig yn sigledig. Roedd yn welw iawn ac roedd ei aeliau wedi'u crychu. Ond roedd y lleill yn dal i sefyll ar y tir. Glaniodd Cadi, ychydig yn drwm, wrth eu hochr.

'O dyna ti, Cadi,' meddai Miss Henwen. 'Roeddwn i'n dechrau poeni amdanat ti. Ddylet ti ddim hedfan bant ar dy ben dy hunan fel'na. Dim eto, beth bynnag.'

'Mae'n ddrwg gen i, Miss,' meddai Cadi.

'Popeth yn iawn, bach,' meddai Miss Henwen, 'mae'n amlwg bod gen ti ddawn. Dwi erioed wedi gweld disgybl yn hedfan cystal â hynny yn y wers gyntaf.'

Cochodd Cadi. Doedd hi erioed wedi dangos 'dawn' mewn unrhyw faes o'r blaen. Er nad oedd ei darllen na'i rhifo'n drychinebus o wael, roedd eraill wedi bod ymhell o'i blaen yn Ysgol Llanfair, a fyddai hi byth yn ennill ras yn y mabolgampau na chael llwyfan mewn eisteddfod. Ond, roedd hi'n gallu hedfan! Ac yn fwy na hynny, roedd hi'n gallu hedfan yn well na neb yn y dosbarth! Anghofiodd yn syth am yr hyn roedd hi newydd ei glywed am Mr Penfras.

'Dyna ddigon am heddiw,' meddai Miss Henwen. 'Mae Cadi, Heledd a Tom wedi gwneud yn dda iawn. Bydd rhaid i'r gweddill ohonoch chi drio'n galetach wythnos nesaf. Ga i'r adenydd yn ôl, plis?'

'Mae eisiau adenydd mawr i godi Tractor o'r ddaear,' meddai Heledd wrth Ffion, Karen a Beca.

Chwarddodd y tair, er nad oedden nhw wedi llwyddo i hedfan chwaith.

'Glywes i 'na,' chwyrnodd Tractor, oedd yn goch ac yn chwyslyd ar ôl ei hymdrechion ofer.

'Dim ti sy ar fai, wrth gwrs,' meddai Heledd yn nawddoglyd. 'Y gwir yw bod gwaed y Tylwyth Teg yn gryfach mewn rhai teuluoedd na rhai eraill.'

'Dydi gwaed yn gneud dim gwahaniaeth,' meddai Mohammed yn daer. 'Sgin i ddim diferyn o waed y Tylwyth Teg yn 'y ngwythienna i.'

'I think we guessed that,' meddai Tom. 'Whoever heard of a Moslem Tylwythyn Teg?'

'Tom!' meddai Cadi mewn arswyd. 'Alli di ddim dweud hynna!'

'Mae Tom yn iawn,' meddai Heledd. 'Does gen i ddim byd yn erbyn pobl fel ti, cofia, ond chi'n wahanol i ni.

Mae'ch diwylliant yn wahanol. Dwi ddim yn synnu bod ti ddim yn gallu hedfan.'

Roedd dyrnau Mohammed wedi'u cau ac roedd yn anadlu'n gyflym. Meddyliodd Cadi ei fod yn mynd i ymosod ar Heledd, ond yn lle hynny trodd a rhuthro i ffwrdd.

'Beth sy'n digwydd fan hyn?' meddai Miss Henwen, oedd wedi bod yn brysur yn pacio'r adenydd i'w bag.

'Dim byd, Miss,' meddai Heledd. 'Mae Mohammed bach yn sensitif, 'na i gyd.'

Agorodd Cadi ei cheg, ond tynnodd Tractor ei llawes.

'Gad nhw,' meddai. 'Awn ni i ffindo Mohammed.'

Roedd e wedi rhedeg am y coed. Daethon nhw o hyd iddo yn eistedd yn erbyn boncyff coeden. Roedd hi'n amlwg ei fod wedi bod yn llefain.

'Ti'n iawn, Mo?' gofynnodd Tractor.

Nodiodd.

'Mae'r Heledd Bowen 'na'n hen hwch,' aeth Tractor yn ei blaen. 'Paid gwrando arni.'

'Ond mae'r hyn wedodd hi a Tom yn ofnadwy,' meddai Cadi. 'Rhaid i ti ddweud wrth yr athrawon.'

Cododd Mohammed ei ysgwyddau.

'Gesh i rywbath tebyg yn yr hen ysgol, sti,' meddai, 'pobol yn deud bo' fi ddim yn Gymro go iawn a ballu. Ond doedd o ddim yn 'y mhoeni i ryw lawar, achos o'n i'n gwbod bo' fi gystal Cymro â neb. Ro'n i'n siarad Cymraeg yn well na nhw, yn gwbod yr hanas yn well, yn gwbod beth oedd ystyr enwa'r holl strydoedd a mynyddoedd.' Ysgydwodd ei ben yn drist. 'Ond beth os ydi Heledd yn iawn? Beth os dwi ddim yn perthyn yn y byd 'ma? Dwi'n methu fflio, mae hynny'n amlwg.'

'O cym on, Mohammed,' meddai Tractor, 'does neb yn gallu hedfan ond Cadi, Tom Jarvis a'i Mawrhydi, Brenhines y Tylwyth Teg. A chi'n gwbod pam fod hedfan mor hawdd iddi hi, on'd ych chi?'

'Pam?' meddai Cadi a Mohammed gyda'i gilydd.

'Achos hen sguthan yw hi!'

Chwarddodd pawb yn afreolus. Sychodd Mohammed ei lygaid.

'Ti'n iawn, Tractor Bach Coch,' meddai. 'Rhaid i mi bractisio, dyna i gyd.'

Neidiodd ar ei draed a dechrau rhedeg ar hyd y lle, gan fflapio ei freichiau. Edrychodd Cadi ar Tractor, ac yna rhedeg ar ei ôl e, gan fflapio ei breichiau hithau a hwtian chwerthin.

'Dere, Tractor,' meddai, 'ti angen ymarfer cymaint â Mohammed!'

Rhedodd Tractor ar eu hôl, yn sathru trwy'r coed fel tarw, ac yn brefu fel un hefyd. Yn sydyn, stopiodd Mohammed ac edrych ar ei wats mewn braw.

'Ni'n mynd i fod yn hwyr i ddosbarth Dr ab Einion. Dewch!'

A rhedodd allan o'r coed i gyfeiriad yr ysgol, a'r ddwy ferch yn dynn ar ei sodlau.

***

Yn yr wythnosau nesaf, er ei fod yn dal i gael trafferth hedfan, daeth yn amlwg bod Mohammed yn mynd i fod yn Dylwythyn Teg penigamp. Mo oedd seren pob dosbarth, bron – yn well na Heledd Bowen, hyd yn oed. Doedd hynny ddim yn ei phlesio hi ryw lawer, wrth gwrs. Roedd swynion Mohammed yn gweithio bob tro, a daeth yn dipyn o arbenigwr ar hanes Annwfn hefyd. Ef oedd yr unig un oedd yn edrych ymlaen at wersi Dr ab Einion. Roedd wrth ei fodd yn y llyfrgell, ac roedd wedi dechrau dysgu Annyfneg ar ei liwt ei hunan. Byddai'n ymarfer gyda'r gogyddes amser cinio, a byddai hithau bob tro'n ei ganmol. Byddai'n cyfarch Heledd Bowen yn yr iaith hefyd, ond fedrai hi ddim ateb, a byddai hyn yn ei gwylltio. Roedd Mohammed yn talu'r pwyth yn ôl yn y ffordd orau bosibl.

Un pnawn dydd Mercher, aethon nhw ar daith i weld teulu o Dylwyth Teg traddodiadol oedd yn byw mewn tai pen coed yn ddwfn yn y fforest. Ddaeth Mr Penfras ddim – 'mae e'n dweud ei bod fel mynd i'r sw,' clywodd Cadi Miss Henwen yn dweud wrth Miss Cilcoed. Doedd dim ceir yn Annwfn, felly mewn ceffyl a thrap aethon nhw. Gwibion nhw ar hyd llwybrau cul, y coed yn dew ar bob ochr ac yn ffurfio bwa uwch eu pennau. Ar ôl rhyw hanner awr o deithio, dyma gyrraedd llannerch gyda thair coeden ffawydden fawr yn ei chanol. Yn uchel yn y rheiny roedd tai pen coed y Tylwyth Teg. Roedd y toeau wedi'u gwneud o blu adar. Roedd yn rhaid i'r plant ddringo ysgolion wedi'u gwneud o wellt i'r tai tywyll, lle roedd Tylwyth Teg yn eu gwisgoedd traddodiadol gwyrdd a choch yn tyrru o gwmpas tanau agored. Roedd Cadi'n teimlo braidd yn annifyr, ac yn gweld pam fod Mr Penfras yn meddwl ei bod fel mynd i'r sw. Roedd Mohammed yn ei elfen, fodd bynnag.

'*Kelme!*' meddai'n frwd. '*Hai Mohammed miroko.*'

Edrychodd y Tylwyth Teg ar ei gilydd yn syn, a dechrau curo dwylo. Ysgydwodd Heledd ei phen yn grac.

Ar ddiwedd yr ymweliad, dyma pawb yn ymgynnull yn y llannerch i aros am y cerbydau i'w cludo'n ôl i'r ysgol.

'Wnaethoch chi fwynhau?' gofynnodd Miss Henwen.

Nodiodd Mohammed ei ben yn egnïol, ond doedd y lleill ddim mor frwdfrydig.

'Dwi ddim yn gwbod, Miss,' meddai Gwenno Jones. 'Ro'n i bach yn nerfus a gweud y gwir. Ydyn nhw, ym... yn hollol saff?'

'O ydyn,' meddai Miss Henwen. 'Peidiwch gwrando

ar yr holl bethau mae pobol yn ei ddweud am Dylwyth Teg y Fforest. Maen nhw'n berffaith gyfeillgar.'

'Dwedodd fy nhad fod rhai ohonyn nhw'n lladd dieithriaid os ydyn nhw'n eu ffeindio nhw yn y goedwig,' meddai Heledd. 'Maen nhw'n eu saethu â saethau gwenwynig, a chadw eu penglogau.'

'O na,' meddai Miss Henwen, 'dyw hynny ddim yn wir. Er, mae 'na straeon am Dylwyth Llyn Alaw yn y gogledd...'

'Fel beth, Miss?' meddai Ffion, ei llygaid yn grwn.

Ysgydwodd Miss Henwen ei phen.

'Dim ond straeon ydyn nhw,' meddai hi.

'Celwydda, dach chi'n feddwl,' dwedodd Mohammed yn ddiamynedd. 'Pobl glên iawn ydan nhw, os dach chi'n siarad â nhw.'

Syllodd ar Heledd wrth ddweud hyn. Agorodd ei cheg i'w ateb, ond yna clywon nhw sŵn gweryru.

'A!' meddai Miss Henwen, 'mae'r trapiau wedi cyrraedd. Bant â ni!'

Ar y ffordd yn ôl i'r ysgol, dwedodd Tractor wrth Mohammed:

'Pam mae Heledd yn lladd ar Dylwyth y Fforest? Ro'n ni'n meddwl bod Cacwn Cêt eisiau cadw traddodiadau Annwfn.'

'Dwi ddim yn credu bod Heledd Bowen a'i thebyg yn parchu neb sy ddim yn byw mewn palas aur,' oedd ateb Mohammed.

★★★

Roedd Cadi wedi sylwi dros yr wythnosau diwethaf bod Tom Jarvis yn ymddwyn braidd yn od. Fyddai e ddim yn yr iard amser chwarae, a byddai'n diflannu'n siarp ar ôl llowcio ei ginio. Prin y byddai'n pigo ar Cadi y dyddiau hyn. Yn aml, byddai'n eistedd gyda Heledd Bowen yn y gwersi.

'Maen nhw'n haeddu ei gilydd,' meddai Tractor.

Un pnawn, roedden nhw wedi bod yn dysgu am hudlathau gyda Dr ab Einion. Doedd dim angen hudlath i wneud swynion yn Annwfn gan fod ynni'r hud yn yr awyr o'u cwmpas, ond pe bai tylwythyn eisiau gwneud swynion ym myd y meidrolion, roedd hudlath yn gallu helpu. Roedd fel batri a gadwai gyflenwad o ynni hudol Annwfn, esboniodd Dr ab Einion. Ar ôl i'r wers ddod i ben, roedd y plant ar eu ffordd yn ôl i'r porth pan gofiodd Cadi ei bod hi wedi gadael ei llyfr yn y stafell ddosbarth.

'Rheda i i nôl e,' meddai wrth Tractor. 'Aros amdana i, a gwna'n siŵr nad eith y bws hebdda i. Bydda i'n ôl whap.'

'Iawn,' meddai Tractor.

Trodd Cadi a dechrau rhedeg yn ôl am yr ysgol. Wrth droi cornel yn y llwybr gwelodd rywun yn cilio'n sydyn y tu ôl i lwyn. Roedd dieithryn yn nhir yr ysgol. Stopiodd yn stond a dweud:

'Helô?'

Dim ateb.

'Helô?' meddai eto, braidd yn nerfus. 'Oes rhywun yna?'

Dim ateb eto. Ond yn sydyn, cododd dyn o'r tu ôl i'r llwyn a'i heglu hi am y coed. Welodd hi ddim ei wyneb, ond rywsut roedd hi'n eitha siŵr ei bod yn gwybod pwy oedd yno. Barti John.

10

Y Brotest

'**R**HAID I NI ddweud wrth Mr Penfras,' meddai Tractor, pan ddwedodd Cadi beth roedd hi wedi'i weld.

Ysgydwodd Cadi ei phen yn bendant. Erbyn hyn roedden nhw ar y bws ar y ffordd adre.

'Pam?' sibrydodd Tractor.

Edrychodd Cadi o'i chwmpas, ond doedd y plant eraill ddim yn gwrando. Roedd rhai'n syllu trwy'r ffenest â chlustffonau'n arllwys miwsig i'w pennau, a rhai eraill wedi'u plygu dros dabled neu ffôn, neu'n siarad ac yn giglan gyda'u ffrindiau. Roedd Tom Jarvis, credwch neu beidio, yn darllen llyfr!

'Mae Dr ab Einion yn meddwl bod Mr Penfras yn aelod o Gacwn Cêt.'

'Be?' dwedodd Tractor yn ddigon uchel i beri i nifer o bennau droi i edrych arni.

'Hisht!' meddai Cadi.

'Sori,' sibrydodd Tractor. 'Shwt ti'n gwbod?'

Soniodd Cadi am y sgwrs roedd hi wedi'i chlywed rhwng Dr ab Einion a Miss Cilcoed yn y coed.

'Ti'n meddwl bod cysylltiad rhwng Barti John a Chacwn Cêt 'te?' gofynnodd Tractor.

'Sai'n gwbod,' meddai Cadi. 'Ond ti'n cofio Mr Penfras yn dweud wrthon ni am beido dweud dim wrth neb am Barti John, dim hyd yn oed yr athrawon? Ydy hynna'n swnio'n *dodgy* i ti?'

'Ody,' cytunodd Tractor, 'ody, mae e.'

Yna, ar ôl sbel, gofynnodd yn feddylgar:

'Be sy mor ddrwg am Gacwn Cêt, beth bynnag? Be maen nhw wedi neud? Odyn nhw fel *terrorists* neu rywbeth? A be sy'n bod ar y Frenhines? So Brenhines Lloegr yn ddrwg i gyd, ody hi?'

'So Dad yn lico hi o gwbwl,' meddai Cadi, 'ond mae Mam-gu yn dwli arni hi – wastod yn darllen amdani mewn cylchgronau. Y cwbwl mae hi'n neud yw codi llaw a gwisgo hetiau. Ond falle fod Brenhines Annwfn ddim fel 'ny: falle'i bod hi fel y frenhines yn Eira Wen neu rywbeth. Dylen ni ofyn i Mohammed. Bydd e'n gwbod.'

'Neu Tom Jarvis,' meddai Tractor. 'Drycha ar ei lyfr e!'

Trodd Cadi i edrych. Llyfr o lyfrgell yr Academi oedd e – *Rhagarweiniad i Hanes Annwfn*. Doedd Cadi erioed wedi gweld Tom yn darllen o'i wirfodd o'r blaen, yn enwedig llyfr Cymraeg.

'Pam yn y byd mae e'n darllen hwnna?' gofynnodd Cadi.

Cododd Tractor ei hysgwyddau mawr sgwâr. Roedd gan y merched nifer o gwestiynau, ond dim atebion o gwbl.

***

Chawson nhw ddim llawer o atebion yn yr wythnosau nesaf chwaith. Erbyn hyn roedd y gaeaf yn dynesu yng Nghymru. Roedd y coed yn noeth a'r gwynt yn fain. Byddai Cadi'n byrddio'r hen fws ysgol yn y gwyll, ac yn dod adre ar ôl iddi nosi. Mor wahanol oedd pethau yn Annwfn: dail ffres gwyrdd ar y coed, ac odanyn nhw roedd carped o fwtsias y gog, yn las i gyd. Roedd adar yn nythu ym mhob man a'r awyr yn pefrio â philipalas amryliw o fath nad oedd yn bodoli ym myd Cadi. Roedd rhai o'r adar yn ddiarth hefyd, a'u plu'n enfys o liwiau coeth a llachar fel adar y jyngl ar raglenni David Attenborough. Suai'r awyr â gwenyn mawr yn igam-ogamu o flodyn i flodyn fel meddwon yn mynd o dafarn i dafarn. Byddai'r plant yn tynnu eu cotiau, eu hetiau, eu menig a'u sgarffiau yn syth ar ôl mynd trwy'r porth a'u gadael nhw mewn cist, cyn mynd i'r ysgol yn eu gwisgoedd ysgol haf.

Erbyn hyn roedd pob un yn gallu hedfan, hyd yn oed Mohammed a Tractor, ac roedden nhw i gyd yn medru gwneud cyfres o wahanol swynion: creu golau, ffeindio pethau coll, helpu planhigion i dyfu'n gynt, codi eitemau o bell a'u symud, ac yn y blaen. O dipyn i beth roedden nhw'n dysgu sut i drin hud Annwfn.

'Math o ynni yw e,' meddai Dr ab Einion, 'yn union fel trydan. Mewn gwirionedd, pan mae hud yn gollwng o'n byd ni i'ch byd chi mae'n troi'n drydan. Dyna pam r'ych chi'n teimlo pigiadau bach fel siociau trydan gwan pan fyddwch chi'n teithio o un byd i'r llall. Mae e wastad yn gwneud i fi deimlo'n sâl. Mae'r rhai sydd wedi treulio blynyddoedd yn astudio'r ynni yn gallu ei ddefnyddio i wneud bron unrhyw beth.'

Cododd Heledd Bowen ei llaw.

'Fel beth, syr?' gofynnodd. 'Rhowch enghraifft i ni.'

Roedd yna nodio pennau brwd a murmur o gymeradwyaeth ymysg y disgyblion eraill. Roedd dosbarthiadau Dr ab Einion yn ddiflas ofnadwy. Byddai wastad yn siarad am hud yn fanwl iawn, ond bron byth yn dangos unrhyw beth, yn wahanol i Mr Penfras a Miss Henwen. Roedd Cadi wedi disgwyl y byddai Dr ab Einion yn gwrthod cais Heledd yn syth, ond er mawr syndod i bawb, roedd wedi codi ei ysgwyddau a dweud:

'Iawn. Mae angen gwirfoddolwr arna i.'

Roedd Mohammed wedi codi ar ei draed yn syth.

'Rhedwch ata i,' dwedodd Dr ab Einion.

Roedd Mohammed wedi rhedeg nerth ei draed i

gyfeiriad y dyn bach llond ei groen, ond cyn ei gyrraedd, roedd Dr ab Einion wedi dechrau llafarganu a chodi ei ddwylo uwch ei ben. Yn sydyn rhewodd Mohammed yn ei unfan, un droed yn yr awyr, ei wallt yn ffrydio y tu ôl iddo, ei geg ar agor. Symudodd e ddim gewyn, cyn i Dr ab Einion ddweud y gair i atal y swyn.

'Gawn ni ddysgu sut i neud hynna?' roedd pawb wedi gofyn, ond roedd Dr ab Einion wedi ysgwyd ei ben.

'Mae'n swyn hynod o anodd,' roedd wedi dweud. 'Un diwrnod, efallai. Nawr 'te, digon o ffwlbri. Trowch i dudalen 264 yn eich llyfrau, os gwelwch yn dda...'

***

Welodd Cadi ddim Barti John ers y tro roedd hi wedi anghofio ei llyfr. Roedd Tom Jarvis yn dal i ymddwyn yn od ond doedd Cadi ddim yn becso gormod am hynny. Roedd hi'n ddigon hapus i fwynhau'r ffaith na fyddai e byth yn yr iard amser chwarae.

Ond doedd pethau ddim yn fêl i gyd. Roedd Cacwn Cêt fel petaen nhw'n mynd yn fwy pwerus bob dydd. Daeth dyn o'r Llywodraeth o'r enw Trystan ap Trystan i siarad â'r plant am beryglon breningarwch, ac i sôn am bethau erchyll oedd wedi digwydd yn ystod teyrnasiad y teulu brenhinol: camdrin y bobl gyffredin a gwasgu arian ohonyn nhw er mwyn talu am godi palasau crand, gwledda gwastraffus, a chreu dillad wedi'u gorchuddio ag aur. Soniodd am greulondeb y teulu brenhinol at eu gelynion, a fyddai'n cael eu carcharu am oes heb achos llys neu eu lladd mewn ffyrdd erchyll. Byddai cefnogwyr y teulu brenhinol yn ymosod ar y rhai oedd â theulu o'r byd dynol ('brithgwn lledwaed' bydden nhw yn eu galw, fel petaen nhw'n gŵn yn hytrach nag yn bobl) a llosgi eu cartrefi. Byddai rhai o'r tywysogion a'u dilynwyr yn mynd trwy'r pyrth i'r byd dynol ac yn hela pobl fel anifeiliaid gyda chŵn Annwfn – cŵn mawr gwyn â chlustiau cochion. Bydden nhw'n lladd y bobl neu ddod â nhw adre yn gaethweision.

Yna, y rhyfel rhwng gwahanol garfanau o'r teulu brenhinol a achosodd farwolaethau tylwyth teg cyffredin yn bennaf. Y Frenhines Banon enillodd y rhyfel cartref oherwydd roedd ganddi hi'r Pair Dadeni, oedd yn dod â milwyr marw yn ôl yn fyw, neu'n lled fyw – collodd y bobl hynny'r gallu i siarad wedyn. Mae rhai'n dal i grwydro'r tir, meddai Trystan, ond mae'r rhan fwyaf, erbyn hyn, yn byw mewn pentrefi yn y mynyddoedd dan ofal swyddogion y Llywodraeth. Crynai Cadi wrth feddwl amdanyn nhw – rhyw fath o sombis, siŵr o fod. Roedd hi'n annifyr iawn meddwl eu bod nhw allan yna.

'Dydyn ni ddim am fynd yn ôl i'r cyfnod ofnadwy hwnnw,' datganodd Trystan ap Trystan. 'Ond dyna beth yw dymuniad Cacwn Cêt.'

Cododd Heledd Bowen ar ei thraed.

'Dwi ddim yn mynd i wrando ar y rwtsh 'ma,' dwedodd yn uchel, a cherdded allan.

Dilynwyd hi gan ryw ddwsin o ddisgyblion, Ffion a Beca yn eu mysg. Roedd Tom Jarvis yn amlwg rhwng dau feddwl, ond arhosodd yn ei sedd. Eisteddodd Mr Penfras yn hollol lonydd. Cafodd Heledd a'i chriw eu cosbi trwy eu cadw i mewn amser chwarae ac amser cinio am wythnos. Dechreuodd Heledd wisgo ei bathodyn Cacwn Cêt drwy'r amser, a chopïodd rhai o'r disgyblion eraill hi. Un diwrnod, hedfanodd rhywun i ben twr yr ysgol, tynnu baner Annwfn (seren arian ar gefndir glas tywyll) a gosod baner felen y Cacwn (llun dwrn a choron) yn ei lle. Cafodd Heledd ei galw i weld yr Athro Garwyn, ond allai neb brofi mai hi oedd yn gyfrifol.

***

Yn ôl yng Nghymru, roedd Dr John Bartholomew yn y newyddion eto. Roedd wedi ennill grant hael gan Lywodraeth Cymru i ddatblygu'r safle yn Arberth, ac roedd wedi cyhoeddi y byddai'n cynnal diwrnod agored yno yn y Flwyddyn Newydd i ddangos potensial ei ynni *geotechnical*. Roedd trafodaeth ar Radio Cymru am greu term Cymraeg: 'ynni geo-dechnegol' enillodd y dydd. Dwedodd Dad ei fod am fynd gyda chriw o'i waith, a synnodd Cadi bawb trwy ddatgan ei bod hi am fynd hefyd. Cyfle gwych i ddarganfod beth oedd gêm Barti John, meddyliodd.

'Ti'n siŵr?' meddai Dad, gan grychu ei aeliau. 'Bydd e bownd o fod yn ddigon diflas.'

'Odw,' meddai Cadi'n frwd. 'Ni'n neud prosiect yn yr ysgol am ynni gwyrdd.'

'Ocê,' meddai Dad. 'Bydda i'n hurio bws mini, felly bydd lle i ti.'

'Dwi am ddod hefyd,' meddai Tractor, pan ddwedodd Cadi wrthi am hyn.

'A fi,' dwedodd Mohammed.

Roedd y tri yn cerdded i gyfeiriad yr ysgol ar ôl amser cinio. Roedd yr haul yn tywynnu ac roedd cymylau gwyn fel gwlân cotwm yn brysio ar draws yr wybren.

'Be 'di'r sŵn yna?' holodd Mohammed yn sydyn.

Stopiodd y tri a moeli eu clustiau. Roedd rhyw dwrw yn y pellter: drymiau, chwibanau a lleisiau cras yn gweiddi. Roedd y sŵn yn dod o ochr draw'r ysgol. Rhedon nhw i weld beth oedd yn digwydd. Roedd torf o bobl mewn dillad melyn a du yn martsio i fyny'r lôn o Gaerddulas i'r ysgol. Roedd rhai ohonyn nhw'n curo drymiau ac eraill yn chwythu chwibanau. Roedd un yn canu bagbib. Roedd gan rai blacardiau wedi'u peintio â sloganau yn yr wyddor Annyfneg. Uwch eu pennau chwifiai baneri Cacwn Cêt. Protest. Meddyliodd Cadi am y protestiadau yn erbyn cau Ysgol Llanfair. Ar yr wyneb roedden nhw'n debyg: cerddoriaeth, placardiau, sloganau. Ond roedd yr awyrgylch yn hollol wahanol. Yn un peth, roedd llawer iawn mwy o bobl, a doedd dim o'r hwyl a'r chwerthin a oedd yn y protestiadau yn Llanfair. Roedd y criw yma'n llawn dicter a chasineb. Ac roedd rhywbeth bygythiol am y ffordd roedden nhw'n camu i guriad y drymiau, fel milwyr bron. Roedd llawer yn chwifio ffyn, ac uwch eu pennau roedd brain yn hedfan.

'Hir oes i'r Frenhines Cêt!'

'Be maen nhw moyn?' gofynnodd Tractor.

'Dwn i'm,' meddai Mohammed, 'ond dy'n nhw ddim wedi dŵad i ddeud "helô", beth bynnag.'

Roedd llawer o'r disgyblion wedi ymgasglu o flaen yr ysgol i weld beth oedd yn digwydd. Roedd rhai o'r staff yno hefyd. Gallai Cadi weld Miss Henwen yn gwasgu ei dwylo'n bryderus. Roedd ei hwyneb yn welw ac roedd yn amlwg bod arni ofn.

Yn sydyn, agorodd prif ddrws yr ysgol a brasgamodd yr Athro Gwyddno Garwyn allan, ei ffon yn ei law, ei glogyn o blu adar am ei ysgwyddau, a'i unig lygad yn fflachio. Roedd Miss Cilcoed a Dr ab Einion yn dynn wrth ei sodlau. Doedd dim golwg o Mr Penfras yn unman.

'Safwch yn ôl, blant,' bloeddiodd yr Athro Garwyn.

Rhuthrodd y plant yn ôl i gysgod wal yr ysgol ond doedd neb yn meddwl am fynd i mewn. Roedd pob un eisiau gwybod beth ddigwyddai nesaf. Cerddodd yr Athro Garwyn ymlaen i gwrdd â'r protestwyr. Dechreuodd rhai o'r staff ei ddilyn ond amneidiodd arnyn nhw i fynd yn ôl.

'Arhoswch chi gyda'r plant,' meddai'n swta. 'Fe wna i ddelio 'da'r rhain.'

Wrth droi at y protestwyr, cododd ei law chwith a'r cledr yn eu hwynebu. Daeth pawb i stop a thawelodd y drymio a'r chwibanu, y bloeddio a'r canu.

'Beth yw hyn?' dwedodd yr Athro'n glir.

Daeth dyn main â gwallt hir, du, a barf bwch gafr daclus. Roedd yn gwisgo siaced felen a du hen ffasiwn, ac esgidiau du pigog. Roedd ganddo ffon hefyd – nid un fawr fel ffon yr Athro, ond gwialen fach ddu â charn arian.

'Tamburlaine,' rhochiodd yr Athro. 'Dylwn i wybod y byddech chi yma.'

'Gwyddno,' meddai'r dyn mewn llais persain. 'Sut ydych chi ers lawer dydd?'

'Trowch yn ôl, ac anghofiwn ni am hyn i gyd,' meddai'r Athro.

Chwarddodd Tamburlaine.

'Newydd gyrraedd ydyn ni,' meddai, 'a does ganddon ni ddim bwriad symud nes i chi wrando.'

'Fel y mynnwch chi,' atebodd yr Athro'n swta.

'Rydyn ni'n mynnu,' meddai Tamburlaine, gan godi ei lais fel y gallai pawb ei glywed, 'diwedd i bolisi'r Academi o drin y rhai sy'n dilyn ei Mawrhydi'r Frenhines Cêt

104

yn wahanol ac yn annheg. Os nad ydych chi'n fodlon gwneud hynny, Brifathro, yna dylech chi ymddiswyddo a gadael i rywun arall gymryd eich lle.'

'Mae rhyddid i bob un, disgybl neu athro, yn yr ysgol arddel unrhyw farn wleidyddol,' meddai'r Athro, 'o fewn rheswm. Ond, er gwaetha'ch hyder newydd, does dim rhaid i fi eich atgoffa bod y Cacwn yn dal yn fudiad anghyfreithlon, a hynny am resymau da. Daeth Trystan ap Trystan yma ar wahoddiad yr ysgol i esbonio hynny i'n disgyblion. Mae'n ddyletswydd arnon ni eu rhybuddio am y Cacwn.'

'Anghyfiawnder a rhagfarn!' gwaeddodd Tamburlaine.

Trodd i annerch y dorf o ddisgyblion ac athrawon oedd yn sefyll yng nghysgod waliau'r ysgol.

'Peidiwch gwrando ar yr hen ffŵl 'ma! Dylech chi fod yn rhydd i roi'ch teyrngarwch i'w Mawrhydi, Brenhines briodol Annwfn. Dewch i ymuno â ni! Fydd eich Prifathro ddim yn meiddio'ch cosbi. Mae ei ddyddiau, a dyddiau'r Weriniaeth, yn dod i ben!'

Roedd tawelwch am funud. Ddwedodd yr Athro Garwyn ddim un gair. Gallai Cadi deimlo'r tensiwn yn yr awyr, fel trydan, bron. Yna, camodd Heledd Bowen ymlaen.

'Mae e'n iawn!' meddai mewn llais main. 'Mae'n hen amser i ni sefyll i fyny yn erbyn anghyfiawnder!'

Dechreuodd gerdded i gyfeiriad y protestwyr, ei hysgwyddau'n ôl a'i phen yn uchel, er y gallai Cadi weld bod ei choesau'n crynu. Am eiliad, symudodd neb. Yna o dipyn i beth, daeth rhagor o'r disgyblion i'w dilyn, Ffion, Karen a Beca yn eu plith. Edrychodd Cadi ar Tom Jarvis. Safai'n gefngrwm, ei ddyrnau wedi'u cau, yn un cwlwm o densiwn. Neidiai ei lygaid o un man i'r llall. Yn amlwg, roedd wedi'i ddal rhwng dau feddwl unwaith eto. Yn sydyn, rhuthrodd ymlaen fel milgi'n cael ei ollwng o'r trap. Lledodd gwên greulon dros wyneb Tamburlaine, wrth weld dwsinau o ddisgyblion yn barod i anufuddhau ac i ymuno ag ef.

Trodd yr Athro Gwyddno Garwyn i wynebu'r plant a lledu ei freichiau, fel petai am eu dal, bob un.

'Alla i ddim gadael i chi fynd atyn nhw,' meddai. 'Fi sy'n gyfrifol amdanoch chi tra eich bod yn yr ysgol, a byddai'n hynod o esgeulus petawn i'n gadael i chi ymuno â'r gwrthdystiad. Byddwch chi mewn perygl difrifol. Os ydych chi'n troi'n ôl nawr, chewch chi ddim eich cosbi. Ond os ydych chi'n mynnu fy herio, bydd rhaid i chi wynebu'r canlyniad.'

Daeth y geiriau hyn â'r disgyblion i stop, hyd yn oed Heledd Bowen. Trodd rhai'n syth a rhedeg yn ôl am yr ysgol. Aeth gwên Tamburlaine braidd yn betrus. Sleifiodd rhagor o'r disgyblion i ffwrdd, Tom Jarvis yn eu mysg. Ond safodd Heledd yn ystyfnig.

'Heledd,' meddai'r Athro Garwyn, yn fwy caredig y tro hwn, 'rwyt ti'n gwybod nad yw dy dad a fi'n gweld lygad yn llygad. Fydda i byth yn mynnu dy fod di'n cytuno â fi ac yn cefnu ar dy deulu: does gen i ddim hawl. Ond mae e wedi ymddiried yndda i i ofalu amdanat ti, ac alla i ddim gadael i ti syrthio i ddwylo mudiad anghyfreithlon a threisgar.'

Cleciodd ei ffon yn erbyn y ddaear ac yna codi ei ddwylo i'r awyr, ac yn sydyn llamodd rhyw wal hud o'r llawr i'r nen rhyngddo a'r protestwyr. Roedd yn dryloyw, ond roedd delweddau'r ochr draw yn aneglur. Roedd y wal yn hisian ag ynni.

'Alli di ddim mynd atyn nhw,' meddai'r Athro Garwyn wrth Heledd. 'Cer yn ôl i'r ysgol!'

Trodd Heledd yn ôl, ei hwyneb yn wyn, a rhedeg gyda'r dyrnaid o blant oedd wedi aros gyda hi wrth ei chwt. Roedd y dorf yr ochr draw i'r wal wedi dechrau rhuo'n gas. Cododd rhai gerrig o'r llawr a'u taflu at yr Athro Garwyn. Pan fydden nhw'n bwrw'r wal byddai ffrwydriad o wreichion piws, a byddai'r cerrig yn cwympo i'r llawr. Ond roedd yn amlwg bod cadw'r wal yn ei lle yn waith caled i'r Athro. Roedd chwys ar ei dalcen, ac roedd ei ddwylo'n crynu. Rhedodd Miss Cilcoed a Dr ab Einion ato i'w helpu.

'Miss Henwen, cer â'r plant i'r ysgol a chau'r drws,' gwaeddodd Miss Cilcoed dros ei hysgwydd.

'Pawb!' gwaeddodd Miss Henwen. 'Ffurfiwch resi! Peidiwch â phanicio! Awn ni i mewn i'r ysgol mewn ffordd drefnus!'

Ond yn sydyn, roedd clec fyddarol uwch eu pennau.

Dechreuodd y plant sgrechian a rhedeg yn wyllt am borth yr ysgol. Fry yn yr awyr, roedd creadur arswydus wedi ymddangos o unman, creadur doedd neb wedi'i weld o'r blaen, dim ond mewn llyfrau neu ffilmiau. Cwympodd ceg Cadi ar agor. Roedd yn gul ac yn gennog fel neidr ac roedd ganddo adenydd llydan lledr fel adenydd ystlum. Disgleiriai ei ystlys fel eira mewn heulwen. Draig wen!

11

Y Drws yn y Tŵr

'**P**EIDIWCH Â BOD ofn!' gwaeddodd Miss Henwen nerth ei phen, ond yn ofer. Roedd panig wedi cydio yn y plant ac roedden nhw'n rhedeg yn wyllt am brif ddrws yr ysgol, gan wthio ei gilydd o'r ffordd.

'Fydd y ddraig ddim yn eich brifo chi! Draig y Gwarchodlu yw hi! Mae hi ar ein hochor ni!'

Mohammed a Cadi oedd yr unig rai oedd yn gwrando arni, mae'n debyg. Cydion nhw yn Tractor wrth iddi ruthro heibio, gan sathru Gwenno Jones dan ei thraed.

'Aros, Tractor!' gwaeddodd Cadi. 'Mae'r ddraig ar ein hochor ni. Drycha!'

Pwyntiodd at y protestwyr. Roedd rhai ohonyn nhw eisoes yn rhedeg i ffwrdd, gan daflu eu ffyn a'u placardiau i'r neilltu, ond roedd rhai eraill yn sefyll yn stond, fel petaen nhw wedi tyfu gwreiddiau yn y ddaear. Roedd pobl ar gefn y ddraig, wedi'u strapio mewn harnais rhwng yr adenydd. Cododd un ohonyn nhw gorn siarad i'w geg wrth i'r ddraig hedfan yn isel.

'Gwarchodlu Gweriniaeth Annwfn sydd yma!' bloeddiodd. 'Mae'r brotest hon yn anghyfreithlon. Cerwch adre! Cerwch adre!'

Dim ond dyrnaid o'r protestwyr oedd ar ôl, ond roedd y rheiny'n gyndyn o gilio'n ôl. Roedden nhw'n dal i weiddi a chwifio eu baneri. Roedd y bagbib wedi dechrau canu eto. Trodd y ddraig a hedfan yn isel eto.

'Cerwch adre!' gwaeddodd y tylwythyn â'r corn siarad.

Plygodd un o'r protestwyr, codi carreg a'i thaflu, gan fwrw un o adenydd y ddraig. Daeth rhagor o gerrig o'r dorf.

'Rydych chi wedi cael eich rhybuddio!' gwaeddodd y tylwythyn eto.

Trodd y ddraig eto a phlymio i gyfeiriad y dorf, y gwynt yn chwibanu yn ei hadenydd. Agorodd ei cheg led y pen a chwistrellu dŵr rhewllyd ar y dorf, gan daflu'r protestwyr din dros ben. Dyma nhw'n codi eto a dechrau rhedeg am eu bywydau am Gaerddulas gyda'r ddraig yn cylchu uwch eu pennau'n barod i ymosod eto.

'Hei!' gwaeddodd llais Miss Henwen ar Cadi a'i ffrindiau. 'Dewch i mewn ar unwaith! Dyw hi ddim yn saff mas fan'na!'

Trodd y tri ffrind, oedd yn mwynhau'r sioe, a dilyn yr athrawes trwy ddrws yr ysgol.

★★★

Doedd dim gwersi y pnawn hwnnw. Daeth Miss Olwen, nyrs yr ysgol, i dendio ar y plant oedd mewn sioc neu oedd wedi cael mân anafiadau yn y wasgfa wrth y drws. Casglwyd y lleill yn y neuadd.

'Pobl beryglus ydy Cacwn Cêt,' dwedodd yr Athro Garwyn, a golwg flinedig arno, gan daro ei ffon yn erbyn y llawr i bwysleisio ei eiriau. 'Maen nhw wedi lladd. Dwi ddim eisiau clywed bod neb o'r ysgol hon yn ymwneud â nhw o gwbl. Fydd neb yn cael cosb heddiw, ond os ydych chi'n mynd yn groes eto ar y mater hwn, byddwch allan o'r ysgol yn syth. Ydy hynny'n glir?'

Mwmialodd y plant rywbeth.

'Ydy hynny'n glir, ddwedais i?' chwyrnodd yr Athro, gan daflu golwg i gyfeiriad Heledd Bowen.

'Ydy, syr!' meddai pawb.

'Iawn,' meddai'r Athro gan droi a cherdded, braidd yn gloff, o'r ystafell. Roedd yna funud o dawelwch pur. Yna:

'Iawn 'te, blant,' meddai Miss Henwen yn siriol, 'beth am i ni chwarae gêm?'

***

Ar ôl y brotest, aeth Mohammed ati o ddifri i ymchwilio i hanes y teulu brenhinol, a'r rhyfel cartref. Byddai'n treulio bob amser chwarae ymhell o'r heulwen yng nghysgodion llychlyd y llyfrgell, neu yn stafell y Pwll

Gwybodaeth. Roedd ganddo ddigon o Annyfneg erbyn hynny i ofyn cwestiynau reit gymhleth ac i ddeall yr atebion. Roedd Cadi'n siŵr ei fod yn iawn bod cliwiau i'r cysylltiad rhwng Barti John a Chacwn Cêt rhwng cloriau'r hen lyfrau neu yng nghrombil y Pwll, ond allai hi ddim meddwl am fod mewn stafell oer a hithau'n haf hyfryd yn Annwfn. Byddai hi a Tractor yn fforio yn y coed, neu'n chwarae pêl-droed, neu'n ymarfer hedfan fry uwchben yr ysgol yng nghwmni Miss Henwen, oedd wastad yn barod i aberthu egwyl i helpu'r plant i arfer â'u hadenydd. Yna, byddai'r ddwy yn cwrdd â Mohammed wrth fynedfa'r llyfrgell, a fyddai'n codi fel twrch daear o'i dwll i olau dydd, ac ysgwyd ei ben mewn rhwystredigaeth.

'Dim byd,' byddai'n dweud. 'Dim eto, beth bynnag...'

Byddai'n stwffio nodiadau i'w ffolder, a chamu i gyfeiriad y dosbarth nesaf. Ond un diwrnod, roedd yn gwenu fel giât pan ddaeth allan o'r llyfrgell.

'Sbïwch ar hyn, genod,' meddai gan wthio clamp o lyfr i'w dwylo. 'Ydi hon yn atgoffa chi o rywun?'

Dangosodd gopi o baentiad o fenyw hardd mewn ffrog werdd grand. Roedd hi'n gwisgo coron arian ysgafn yn rhith dail a blodau, ac odani roedd tonnau o wallt coch. Chwibanodd Tractor yn isel. Roedd ei hwyneb yr un sbit â wyneb Cadi.

'Jiw jiw, Cads,' meddai, 'neu a ddylen i weud "Eich Mawrhydi"?'

Chwarddodd yn uchel, ond doedd Cadi ddim yn chwerthin. Teimlai fel petai wedi gweld ysbryd.

'P-pwy yw hi?' gofynnodd, a'i llais yn crynu.

Pwyntiodd Mohammed at y pennawd yn y sgript Annyfneg o dan y llun. Cododd Tractor a Cadi eu hysgwyddau.

'O ia,' meddai Mohammed, 'chi ddim yn darllan Annyfneg, ydach chi? Dyma'r Frenhines Cêt!'

'Go iawn?' meddai Cadi mewn sioc.

Nodiodd Mohammed.

'Be ti'n wybod am dy deulu?' gofynnodd. 'Ochr dy fam.'

Ysgydwodd Cadi ei phen.

'Dim byd,' meddai. 'Dwi ddim hyd yn oed wedi gweld llun o fy mam.'

'Ti ddim yn meddwl...?' dechreuodd Tractor, ei llygaid yn llydan fel soseri.

'Na,' meddai Cadi. 'Gwen oedd... ym, *yw* ei henw hi, nid Cêt.'

'Ond gall Cêt fod yn rhyw fath o ffugenw,' meddai Mohammed. 'Dyna ddeudodd Miss Henwen, chi'n cofio?'

'Mae Cêt yn enw od i dylwythen deg, on'd yw e?' meddai Tractor.

'Maen nhw i gyd ag enwa rhyfadd, y teulu brenhinol,' meddai Mohammed. 'Chi'n cofio Tamburlaine, oedd yn arwain y brotest?'

'O, ie,' meddai Tractor, 'mae Tamby-bechingalw'n enw rhyfedd!'

'Mae enwa'r Tylwyth Teg yn od yn gyffredinol,' meddai Mohammed. 'Chi 'di sylwi mai enwa Cymraeg sy gynnon nhw i gyd, hyd yn oed Mr Penfras a'i debyg, aeloda hen deuluoedd y Tylwyth Teg? Dim ond Tylwyth y Fforest sydd ag enwa Annyfneg, neu hambons cefn gwlad, fel y gogyddes.'

'Beth yw ei henw hi?' gofynnodd Cadi. Doedd hi erioed wedi meddwl gofyn.

'Eso,' meddai Mohammed. 'Mae'n golygu "rhosyn". Beth bynnag, aeth y teulu brenhinol gam ymhellach, a defnyddio enwa eraill o'n byd ni. Iddyn nhw, enw reit ecsotig yw enw Saesneg fel "Cêt".'

'Oes yna Frenin Kevin neu rywbeth?' meddai Tractor gan chwerthin.

'Oes,' meddai llais Mr Penfras y tu ôl iddyn nhw. 'Kevin Fawr, tad-cu'r Frenhines Banon. Nawr, cerwch, chi'n hwyr!'

'Shwt ma fe wastod yn neud hynna?' meddai Tractor, wrth iddyn nhw ei throi hi am eu dosbarth. 'Ymddangos o unman. Mae fe'n hala'r cryd arna i.'

***

Roedd Tom Jarvis yn dal i fod yn absennol bron pob amser chwarae, a sylwodd Cadi fod Heledd, Ffion,

Karen a Beca hefyd yn tueddu i ddiflannu erbyn hyn hefyd. Oedden nhw'n gweithredu rhyw gynllwyn ar ran Cacwn Cêt? Neu ar ran Barti John? Neu'r ddau?

Un amser cinio, wrth i Cadi giwio i gael bwyd, gwelodd hi Tom yn gorffen llowcio ei ginio fel petai heb fwyta ers wythnos, ac yna'n sleifio allan o'r ffreutur. Ar fympwy, penderfynodd hi ei ddilyn. Gadawodd y ciw, a brasgamu drwy'r ffreutur.

'Ble ti'n mynd?' meddai Tractor yn syn.

'Toilet,' meddai Cadi'n frysiog.

Cyrhaeddodd ddrws y ffreutur mewn pryd i weld Tom yn diflannu trwy ddrws arall a arweiniai at risiau i'r llawr cyntaf. Aeth ar flaenau ei thraed ar ei ôl. Dringodd y grisiau, gan ofalu cadw digon o bellter oddi wrtho, ac aros yn y cysgodion. Dilynodd hi Tom ar hyd coridorau ac i fyny rhes arall o risiau. Daeth hi'n amlwg ei fod yn anelu am y tŵr. Roedd ystafelloedd dosbarth yn y tŵr, ac arsyllfa gyda thelisgopau anferthol a siartiau o sêr Annwfn ar y waliau. Ond doedd y plant ddim yn cael ymweld â'r llawr uchaf. Doedd neb yn gwybod beth oedd yno, ond wrth gwrs roedd sawl si: ysbrydion arswydus â'u pennau o dan eu ceseiliau; sgerbydau'r teulu brenhinol oedd wedi cael eu cloi yno ar ôl y chwyldro. Ta waeth, roedd yna ddrws yn yr arsyllfa a arweiniai i'r llawr gwaharddedig, a hwnnw wedi'i gau â mwy na chlo arferol.

'Mae pob math o swynion ar y drws yna,' meddai Dr ab Einion y tro cyntaf iddyn nhw fynd i'r arsyllfa, 'felly peidiwch hyd yn oed meddwl am geisio ei agor.'

Dilynodd Cadi Tom i fyny'r grisiau tro i'r arsyllfa. Oedd e'n trio agor y drws? Erbyn hyn, roedd hi'n gallu clywed lleisiau yn dod o'r arsyllfa. Llais Heledd Bowen oedd un ohonyn nhw, a rhai Ffion, Karen a Beca oedd y lleill. Cyrhaeddodd Tom ddrws yr arsyllfa a churo dair gwaith arno. Agorwyd y drws ar unwaith a chlywodd Cadi lais main Heledd yn glir:

'Dyna ti o'r diwedd! Ble ti 'di bod? Ni'n aros amdanat ti ers oes!'

'S-sori,' meddai Tom, 'des i mor gyflym â phosib.'

Sylwodd Cadi, er mawr syndod iddi, fod ei Gymraeg wedi gwella'n fawr. Am ei fod yn darllen yr holl lyfrau hanes, siŵr iawn, meddyliodd. A bod yng nghwmni Heledd Bowen, o bosib.

'Gest ti dy ddilyn?' gofynnodd Heledd.

'Naddo,' meddai Tom.

Gwasgodd Cadi ei hunan yn erbyn y wal, gan weddïo na fyddai Heledd yn dod allan i weld. Ochneidiodd mewn rhyddhad pan ddwedodd honno:

'Iawn. Aros di tu allan, a gad i ni wybod os daw rhywun. A phaid segura. Bydda i'n gwybod yn syth os ti ddim yn canolbwyntio, a bydda i'n dy droi'n di'n froga. Reit, ferched, y drws 'ma. Mae gen i swyn newydd ddylai neud y tric.'

'Paid becso, Heledd,' meddai Tom, 'wna i ddim dy siomi di.'

Trodd yn ôl i'r coridor, ei ysgwyddau wedi'u gostwng, a golwg ddiflas ar ei wep. Yn sydyn, ac yn hollol annisgwyl, teimlodd Cadi biti drosto. Roedd hi wedi meddwl ei fod e a Heledd yn dîm, yn cynllwynio fel partneriaid, ond nawr roedd hi'n amlwg mai Heledd oedd y bòs, a'i bod hi'n bwlio Tom. Ysgydwodd ei phen. Cydymdeimlo â Tom Jarvis? Be nesa!

'Dylen i fynd,' meddyliodd. 'Dwi'n gwbod bod Heledd yn trial agor y drws i'r llawr gwaharddedig, a bod Tom yn ei helpu hi, ond sai'n gwbod pam. A wna i ddim gwbod pam fel hyn chwaith.'

Dechreuodd gerdded i lawr y grisiau, mor dawel â llygoden. Unwaith ei bod wedi troi'r gornel, teimlai'n rhydd i gerdded yn gynt. Doedd neb wedi'i gweld hi: roedd hi'n saff. Camodd o'r grisiau i'r coridor, a mynd am yr iard chwarae. Ond cyn iddi fynd deg cam, clywodd lais Mr Penfras y tu ôl iddi.

'Cadi Williams,' meddai, 'beth yn y byd wyt ti'n ei wneud lan fan hyn?'

12

Yr Uncorn

EDRYCHODD CADI AR Mr Penfras â'i cheg ar agor. Allai hi ddim meddwl am unrhyw beth clyfar i'w ddweud.

'Ym…' meddai mewn llais bach, 'es i ar goll, syr.'

Roedd hi'n gwybod yn iawn pa mor wan roedd hynny'n swnio ac nad oedd Mr Penfras yn ei chredu.

'Galli di ddweud hynny wrth y Prifathro,' meddai'n swta. 'Dere gyda fi.'

Dilynodd Cadi ef ar hyd y coridorau, ei chalon yn drwm. Doedd dim pwynt sôn wrtho am Heledd a'i chriw, meddyliai. Os oedden nhw'n aelodau o'r Cacwn, mae'n debyg fod Mr Penfras eisoes yn gwybod. Hwyrach ei fod yn eu helpu wrth eu gwaith, beth bynnag oedd hynny. Ond gallai ymddiried yn y Prifathro, allai hi? Go brin ei fod e'n gefnogol i'r Cacwn. Byddai'n dweud y gwir wrtho ac efallai'n codi amheuon Dr ab Einion am Mr Penfras.

Ond chafodd hi ddim cyfle. Aeth Mr Penfras â hi i swyddfa'r Athro Garwyn a churo ar y drws.

'Dewch i mewn!' dwedodd llais dwfn yr Athro o'r tu mewn.

Agorodd Mr Penfras y drws a nodio ar Cadi i fynd i mewn. Doedd hi erioed wedi bod yn swyddfa'r Prifathro o'r blaen. Roedd yr Athro Garwyn yn eistedd y tu ôl i ddesg lydan o bren derw, oedd yn gorlifo â phapurach, a phob math o bethau rhyfedd: poteli llawn hylif o wahanol liwiau, esgyrn, plu, igwana wedi'i stwffio, hen feicrosgop pres, corn dafad, a phêl rygbi wedi'i harwyddo gan Alun Wyn Jones. Roedd gweddill y swyddfa'r un mor anniben – roedd silffoedd llyfrau ar bob wal, yn llawn cyfrolau mawr â chloriau lledr. Rhwng y silffoedd roedd hen siartiau, mapiau a phaentiadau yn crogi'n simsan, ynghyd â chwpl o fygydau brawychus yr olwg, a physgodyn brithyll anferthol mewn cas gwydr. Mewn un gornel roedd arfwisg gyda chleddyf a tharian. Ar ben ei helmed roedd gwiwer ddu fyw yn cnoi cneuen. Mewn cornel arall roedd hen gadair freichiau, ac ynddi eisteddai Dr ab Einion. Dilynodd Mr Penfras Cadi i'r ystafell a chau'r drws y tu ôl iddo. Syllodd yr Athro Garwyn ar Cadi â'i unig lygad. Edrychodd Cadi ar y llawr.

'Wel?' meddai'r Athro o'r diwedd.

Edrychodd Cadi ar Mr Penfras ond roedd hwnnw'n edrych uwch pen yr Athro, ei freichiau wedi'u plethu. Roedd yn amlwg nad oedd yn mynd i ddweud dim, ond nad oedd yn mynd i fynd i unman chwaith. Byddai rhaid i Cadi ddweud ei chelwydd gwan eto.

'Ro'n i yn y tŵr amser cinio, syr,' meddai.

Cododd yr Athro ael drwchus, ond ddwedodd e ddim gair.

'Ym...' meddai Cadi. 'Ro'n i ar goll, syr.'

'Twt lol!' wfftiodd Dr ab Einion.

'Plis, Doctor,' meddai'r Athro, gan amneidio arno i beidio ag ymyrryd.

Cododd y dyn bach crwn ei law mewn ymddiheuriad. Trodd yr Athro at Cadi unwaith eto.

'Ar goll, ddwedaist ti?'

'Ym, ie, syr.'

Parhaodd yr Athro i edrych arni am yr hyn a deimlai fel oesoedd i Cadi.

'Cadi,' meddai o'r diwedd. 'Cadi Williams, ie?'

'Ie, syr.'

'Hmmm.'

Drymiodd ei fysedd ar y ddesg, ei aeliau wedi'u crychu. Neidiodd y wiwer ddu o ben yr arfwisg i eistedd ar ei ysgwydd, fel petai am sibrwd yn ei glust. Edrychai Dr ab Einion fel petai am ddweud rhywbeth, ond ailfeddyliodd, ac eistedd yn ôl yn y gadair anghyffordus.

'Wel,' meddai'r Athro Garwyn ar ôl seibiant hir, 'mae'n siŵr fod gan Cadi Williams ei rhesymau dros fod yn y tŵr amser cinio. Ac mae'n siŵr hefyd y bydd hi'n cofio'r tro nesaf nad yw disgyblion i fod i fynd i'r tŵr ar eu pennau eu hunain.'

'Bydda, syr,' meddai Cadi mewn rhyddhad. 'Diolch, syr.'

'Nawr, cer o 'ma, neu chei di ddim egwyl cinio o gwbl.'

Trodd Cadi am y drws yn ddiolchgar. Cafodd gipolwg ar wyneb Dr ab Einion a oedd yn agor a chau ei geg fel pysgodyn. Roedd wyneb Mr Penfras yn hollol lonydd wrth iddo agor y drws iddi. Pan oedd hi allan yn y coridor, rhedodd nerth ei thraed i ffeindio Tractor a Mohammed.

'Be sy tu ôl i'r drws 'te?' gofynnodd Tractor pan ddwedodd Cadi'r stori gyfan wrthyn nhw.

Cododd Cadi ei hysgwyddau.

'Dim syniad,' meddai.

Roedd golwg fyfyriol ar wyneb Mohammed.

'Tybed...' meddai'n ansicr.

'Tybed be?' meddai'r ddwy ferch fel un.

'Dwn i'm,' meddai Mohammed. 'Y Pair Dadeni? Dyna beth enillodd y rhyfel cartre i Banon a'i theulu, ond ar ôl y rhyfel mi ddiflannodd. Does neb yn gwybod lle mae o. Tybed ai dyna beth sydd dan glo yn y tŵr? Basa Cacwn Cêt yn ddigon awyddus i'w ffeindio fo, ddeudwn i.'

Teimlodd Cadi ias i lawr ei chefn.

'Gallen nhw greu byddin o sombis!' meddai.

'Nid sombis ydi'r bobol sy 'di bod yn y Pair,' meddai Mohammed. 'Maen nhw'n union fel pobol normal, ond yn methu siarad. Mae ambell un yn gweithio yn yr ysgol.'

'O, cer o 'ma!' meddai Tractor. 'Shwt allan nhw ddysgu os dy'n nhw ddim yn gallu siarad?'

'Dim fel athrawon, y lembo!' meddai Mohammed. 'Coginio, torri gwair, dreifio bysys a ballu.'

'Dreifo bysys?' gofynnodd Cadi.

Meddyliodd am yrrwr y bws a'i casglai bob bore a'r graith hyll ar ei wddf. Doedd hi erioed wedi'i glywed yn siarad. Oedd hwnnw wedi cael ei ladd a'i roi yn y Pair yn ystod y rhyfel cartre? Oedd e wedi dod yn fyw eto, ond yn fud? Crynodd wrth feddwl am y peth.

'O ia,' meddai Mohammed, 'mae'r rhan…'

Ond yna canodd y gloch am wersi'r prynhawn, a chafodd e ddim gorffen ei frawddeg.

***

Y diwrnod wedyn, daeth Tractor at Cadi amser cinio, ei gwynt yn ei dwrn.

'Dwi newydd glywed Dr ab Einion yn siarad amdanat ti gyda'r Prifathro,' meddai hi.

'Shwt?' gofynnodd Cadi mewn penbleth. 'Beth ddwedon nhw?'

'Fi oedd yr ola i adael y stafell ar ôl y wers gyda'r Athro, a daeth Dr ab Einion i mewn wrth i fi fynd mas. Cyn i'r drws gau, glywes i dy enw di, felly stopes i i wrando.'

'A?' meddai Cadi, ar bigau'r drain.

Roedd golwg bryderus ar wyneb Tractor.

'Wedodd Dr ab Einion bod ti'n drwbwl, fel dy fam, a bod y ffaith bod ti'n sleifio o gwmpas yn y tŵr yn profi hynny. Wedodd e fod 'dag e amheuon amdanat ti o'r dechrau'n deg, ac y bydde fe'n cadw llygad barcud arnot ti. Wedodd e dyle'r Athro gysidro cico ti mas os ti'n cario mlaen fel hyn!'

'Beth wedodd Garwyn?' gofynnodd Cadi'n ofidus.

Roedd ei pherfeddion yn corddi, a'i phen yn troi.

'Wel,' meddai Tractor, 'dyna'r broblem. Roedd rhaid i fi fynd wedyn achos daeth rhywun heibo.'

'O, Tractor!' dwedodd Cadi dan deimlad. 'Mae hyn yn bwysig! Alla i ddim cael cic-owt!'

'Sori,' meddai Tractor, 'ond be 'se rhywun wedi gweld fi a 'nghlust i wedi'i sodro wrth y drws yn gwrando ar yr athrawon yn gweud pethau cyfrinachol? Bydde'r ddwy o'non ni'n cael ein *marching orders* wedyn.'

'Meddwl am dy hunan o't ti, 'te,' meddai Cadi.

Roedd hi'n gwybod bod hynny'n annheg, ond roedd wedi cael sioc go iawn. Cochodd Tractor.

'Trial helpu o'n i,' gwaeddodd, 'a dyma'r diolch dwi'n cael! Fydda i ddim yn boddran tro nesa!'

Ac i ffwrdd â hi.

'Tractor!' galwodd Cadi ar ei hôl.

Ond ei hanwybyddu wnaeth Tractor. Roedd Cadi'n agos at ddagrau. Roedd Dr ab Einion am ei diarddel o'r Ysgol Swynion, a nawr roedd un o'i ffrindiau gorau'n gwrthod siarad â hi. Ond torrwyd ar draws ei meddyliau gan sŵn sgrechian. Edrychodd draw i weld criw o blant yn rhedeg i bob cyfeiriad oddi wrth ryw greadur tebyg i geffyl mawr gwyn oedd yn gweryru'n gynddeiriog. Yng nghanol ei dalcen roedd un corn hir syth. Uncorn! Cofiodd Cadi fod Dr ab Einion wedi siarad am y creadur hwn yr wythnos diwethaf, gan eu rhybuddio am ei ffyrnigrwydd.

'Ond mae uncyrn yn ciwt,' dwedodd Gwenno Jones. 'Maen nhw'n hedfan o gwmpas ac yn gwneud dymuniadau yn wir!'

Ochneidiodd Dr ab Einion.

'Dyw uncyrn *ddim* yn "ciwt", dy'n nhw *ddim* yn gallu hedfan, a dy'n nhw *ddim* yn gallu gwireddu dymuniadau,' meddai'n ddiamynedd. 'Anifeiliaid gwyllt a pheryglus ydyn nhw. Er eu bod nhw'n edrych fel ceffylau, maen nhw'n perthyn i'r rheinoseros, felly peidiwch â mynd yn agos at uncorn os ydych chi'n ddigon anffodus i weld un.'

Beth yn y byd oedd un yn ei wneud fan hyn, ar dir yr ysgol? Yn sydyn gwelodd Cadi Tom Jarvis yn rhedeg nerth ei draed i gyfeiriad yr uncorn gan weiddi a chwifio ei freichiau. Roedd fel petai'n ceisio gwneud swyn. Trodd y creadur ato, gan bystylad a chwyrnu.

'Tom!' gwaeddodd Cadi. 'Be ti'n neud?'

Gostyngodd yr uncorn ei ben a rhuthro amdano. Roedd yn amlwg nad oedd y swyn wedi gweithio. Trodd Tom i redeg i ffwrdd ond roedd yr uncorn yn gyflymach nag e. Cafodd Tom ei daro â'r corn a chael ei daflu i'r awyr. Glaniodd yn swp ar y borfa, fel doli glwt.

Doedd e ddim yn symud o gwbl. Edrychodd Cadi arno mewn arswyd. Oedd e wedi marw? Yna gwelodd ef yn codi ar ei eistedd, gan wingo mewn poen. Teimlodd don o ryddhad yn golchi drosti. Ond yna cofiodd am yr uncorn. Roedd hwnnw wedi troi ac yn llygadu Tom eto, gan chwyrnu'n ddig. Gostyngodd ei gorn, yn barod i ruthro ato unwaith yn rhagor. Roedd Cadi wedi'i rhewi yn ei hunfan.

Yn sydyn clywodd weiddi. Trodd i weld Tractor yn rhedeg i gyfeiriad yr uncorn gan chwifio ei breichiau hi yn yr awyr. Go brin ei bod hi'n ceisio gwneud swyn?

'Oi!' gwaeddodd. 'Fan hyn, yr hen asyn twp!'

Trodd yr uncorn i edrych arni, ei lygaid yn fflachio â dicter.

'Ie, y mwlsyn!' gwaeddodd Tractor, gan facio tuag at foncyff coeden. 'Dere i gael ffeit gyda rhywun sy'n nes at dy seis di!'

Gostyngodd yr uncorn ei ben eto, ac yn sydyn dechreuodd redeg i gyfeiriad Tractor.

'Na!' gwaeddodd Cadi mewn braw.

Erbyn hyn roedd yr uncorn ar garlam, ei gorn fel gwawyffon yn pwyntio'n syth at Tractor. Safodd honno ei thir, ei chefn yn erbyn y boncyff, ei hwyneb yn wyn fel y galchen. Ar y funud olaf neidiodd i un ochr a rhedodd yr uncorn i mewn i'r goeden. Suddodd ei gorn yn ddwfn yn y boncyff, a dyna lle roedd e, yn chwyrnu ac yn gweryru wrth geisio tynnu ei hunan yn rhydd.

Rhedodd Cadi at Tractor, oedd yn gorwedd ar wastad ei chefn yn y bwtsias y gog.

'Tractor!' gwaeddodd. 'Ti'n iawn?'

Nodiodd Tractor. 'Odw, dwi'n credu,' meddai. 'Beth am Tom?'

Erbyn hynny, roedd rhai o'r athrawon wedi cyrraedd. Roedd Miss Cilcoed yn plygu dros Tom. Roedd Dr ab Einion a Mr Penfras yn delio â'r uncorn, ac roedd Miss Henwen yn gorchymyn i'r plant oedd yn rhythu ar y ddrama fynd yn ôl i mewn i'r ysgol. Ar ôl i gorn yr uncorn gael ei dynnu o'r goeden, a'r creadur blin wedi'i glymu'n dynn â chadwyn, ac ambell swyn, trodd Dr ab Einion at Tractor.

'Gwaith da, Miss Thomas,' meddai. 'Dwi'n falch bod rhywun yn y dosbarth yn gwrando!'

Gwenodd Tractor yn wan.

'Nawr 'te, well i ti fynd i weld Miss Olwen i gael rhywbeth i ddod dros y sioc.'

Gwelodd Cadi fod Tom Jarvis ar ei draed, ei fraich mewn gwregys. Yn sydyn, daeth Mrs Prydderch, yr athrawes seryddiaeth, ar ruthr gwyllt o'r ysgol.

'Miss Cilcoed, dewch ar unwaith!' gwaeddodd. 'Mae rhywun wedi torri i mewn i'r tŵr!'

13

Gwen

RHEDODD MISS CILCOED i ffwrdd ar unwaith. Cafodd Tom a Tractor eu hanfon at Miss Olwen, ac yn y pen draw llwyddodd Miss Henwen i yrru gweddill y plant i'r neuadd.

'Peidiwch â symud!' meddai, gan wneud ei gorau i swnio'n llym. 'Bydda i'n ôl chwap.'

A brysiodd allan o'r neuadd. Daeth Mohammed at Cadi â golwg ddryslyd ar ei wyneb. Roedd wedi bod yn y llyfrgell fel arfer, ac roedd wedi colli'r cyffro i gyd. Dwedodd Cadi'r cwbl wrtho.

'Ydi Tractor yn iawn?' gofynnodd yn bryderus.

'Ody,' meddai Cadi. 'Gath hi ddim niwed, dim ond sioc. Roedd hi'n ddewr iawn. Gobeithio bod Tom yn gwerthfawrogi.'

Crafodd Mohammed ei ben.

'Rhedodd Tom at yr uncorn yn y lle cynta, ddeudist ti?' meddai. 'Pam fasa fo'n neud hynny?'

Cododd Cadi ei hysgwyddau. Roedd hi wedi gofyn yr

un cwestiwn iddi hi ei hunan, ond doedd ganddi ddim syniad.

'Peth arall: mae uncorn, creadur gwyllt o'r goedwig, yn ymddangos yn nhir yr ysgol ac yn ymosod ar y plant. Ar yr un pryd, mae rhywun yn torri i mewn i'r tŵr, lle mae Heledd a'i chriw wedi bod yn trio torri mewn iddo fo ers wythnosau. Cyd-ddigwyddiad? Sgersli bilîf!'

'Felly, ti'n gweud bod Cacwn Cêt wedi gosod yr uncorn ar y plant er mwyn tynnu sylw pawb, fel gallen nhw dorri i mewn i'r tŵr?' gofynnodd Cadi.

Tro Mohammed oedd hi i godi ei ysgwyddau.

'Mae'n bosib, tydi?' meddai.

'Ody,' meddai Cadi, 'ond pam fydde Tom yn ceisio achub y plant wedyn? Ma fe'n un o'nyn nhw, on'd yw e?'

Ysgydwodd Mohammed ei ben.

'Dwn i'm,' meddai. 'Tybad ydyn nhw wedi dwyn y Pair, neu beth bynnag sydd yn y stafell?'

Y funud honno daeth Miss Henwen yn ôl, a dyna ddiwedd ar y sgwrs.

'Fydd Dr ab Einion na Miss Cilcoed ddim yn dysgu pnawn 'ma,' meddai, 'felly bydda i'n edrych ar eich hôl chi.'

Gwenodd yn siriol arnynt.

'Beth am i ni chwarae gêm?'

★★★

Welodd Cadi mo Tractor na Tom tan ddiwedd y prynhawn, pan oedden nhw'n mynd am y pyrth i groesi'n ôl i Gymru. Roedd braich Tom yn dal mewn gwregys ac roedd ei wyneb yn welw iawn. Aeth Cadi at Tractor, gan deimlo braidd yn swil. Doedd hi ddim wedi cael siawns i siarad â hi'n iawn ers y ffrae yn gynharach.

'Iawn, Tractor?' meddai.

'Iawn, Cadi?'

Roedd yna dawelwch am eiliad.

'Sori am gynne,' meddai Cadi. 'Gobeitho bo' ni'n dal yn ffrindie.'

'Wrth gwrs bo' ni, y penbwl,' meddai Tractor. 'Nawr, be dwi 'di colli? Dwi 'di bod yn hollol *bored* gyda neb ond Miss Olwen a Tom Jarvis yn gwmni drwy'r pnawn.'

'Gollest ti ddim lot,' meddai Cadi, 'dim ond gemau dwl Miss Henwen. Shwt ma Tom?'

'Bydd e'n byw,' meddai Tractor. 'Fi achubodd ei fywyd e, ti'n gwbod, ond ches i ddim diolch na dim byd! Mae ei fraich e wedi'i throi'n gas, ond mae Miss Olwen wedi canu rhyw swyn drosti, a bydd e fel y boi cyn bo hir, medde hi.'

Edrychodd Cadi dros ei hysgwydd ar Tom Jarvis, yn cerdded ar ei ben ei hunan i gyfeiriad y porth, ei ysgwyddau wedi'u gostwng. 'Beth sy'n mynd ymlaen yn ei ben e?' meddyliodd. Ond allai hi ddim cynnig ateb.

***

Y diwrnod wedyn, daeth Mohammed at y merched amser egwyl.

'Ches i ddim cyfla i ddeud ddoe, gyda'r uncorn a phob dim,' meddai, 'ond dwi wedi ffeindio wbath diddorol.'

Twriodd yn ei fag a thynnu llyfr trwchus allan ohono. Ar y clawr roedd llun o ddyn ifanc a edrychai'n gyfarwydd, rywsut. Uwch ei ben roedd y teitl *Gwyddoniaeth Hud yn y Degawd cyn y Chwyldro*, gan Theophilus Gryg.

'O'n i'n meddwl bod ti wedi gweud "diddorol", Mo!' meddai Tractor, gan esgus dylyfu gên.

'Aros di, Tractor Bach Coch,' meddai Mohammed. 'Dwi ddim wedi esbonio eto pam fod y llyfr 'ma mor ddiddorol. Dach chi'n nabod y dyn yma?'

'Dwi wedi'i weld e,' meddai Cadi, 'ond alla i ddim meddwl ble.'

'Ti wedi'i weld o bore 'ma,' meddai Mohammed, gan wenu arni.

'Dr ab Einion!' gwaeddodd Cadi. 'Wrth gwrs!'

'Cywir!' meddai Mohammed. 'Roedd o'n ifancach, ac yn llai boliog bryd hynny! Beth bynnag, fo wnaeth y metel deallus sydd yn y breichledi 'ma, fel dach chi'n gwybod. Enillodd o ryw wobr fawr amdanyn nhw. Ond dach chi'n gwybod pwy oedd yn ei dîm o?'

Ysgydwodd y ddwy ferch eu pennau. Agorodd Mohammed y llyfr i dudalen roedd wedi'i chadw gyda llyfrnod. Roedd llun o'r Dr ab Einion ifanc gyda dwy ddynes. Gallen nhw weld ar unwaith mai Miss Cilcoed oedd un, yn edrych bron yn union fel yr oedd hi nawr. Dynes hardd bengoch oedd y llall. Fel yn achos y llun o'r Frenhines Cêt, roedd y tebygrwydd rhyngddi hi a Cadi'n syfrdanol. Neidiodd calon Cadi pan welodd hi.

'P-pwy yw hi?' gofynnodd yn gryg.

'Tywysoges ifanc o'r enw Gwenddydd Treffynnon,' meddai Mohammed. 'Gwen ydi enw dy fam di, ia?'

'Ym… ie,' meddai Cadi.

Teimlai'n benysgafn. Oedd hi'n edrych ar lun o'i mam o'r diwedd?

'Ti yn dywysoges, felly,' meddai Tractor, gan foesymgrymu.

'Paid, Tractor,' meddai Cadi.

'Sori,' meddai Tractor, 'jôc oedd e i fod.'

'Beth ddigwyddodd?' gofynnodd Cadi, gan anwybyddu Tractor.

'Roedd y tri yn dipyn o ffrindia ac yn gweithio yn y Labordy Brenhinol yng Nghaerddulas,' meddai Mohammed, 'ond cawson nhw andros o ffrae. Gweriniaethwyr oedd Dr ab Einion a Miss Cilcoed, ond roedd Tywysoges Gwenddydd ar ochr y teulu brenhinol bob tro wrth gwrs.'

'Gwerini-be?' meddai Tractor gan wgu.

'Gweriniaethwyr,' meddai Mohammed.

'A beth yn y byd yw'r rheina?' gofynnodd Tractor. 'Ydyn nhw'n neud dawnsio gwerin, neu rywbeth?'

Chwarddodd Mohammed.

'*Republicans*; pobl sy ddim yn credu bod hawl gan y teulu brenhinol i'w rheoli,' meddai. 'Pobl sy isio byw mewn gwlad lle maen nhw'n ethol Arlywydd yn lle coroni Brenin neu Frenhines. Gwlad fel Ffrainc neu America.'

'O,' meddai Tractor, ond roedd hi'n dal i edrych yn ddryslyd.

Agorodd Mohammed ei geg i esbonio ymhellach, ond roedd Cadi'n torri ei bol eisiau clywed gweddill ei stori, felly torrodd ar ei draws.

'Caria mlaen, Mo.'

'Iawn. Nath y ddau gyhuddo Gwenddydd o geisio rhannu cyfrinach y metel deallus gyda swyddogion byddin y Frenhines oedd yn cwffio â'r gweriniaethwyr ar y pryd. Ond dwedodd rhai nad oedd hi wedi neud unrhyw beth o'i le wedi'r cwbwl, a bod Dr ab Einion wedi dyfeisio'r stori am ei fod o'n genfigennus achos roedd hi'n well gwyddonydd nag o. Beth bynnag ydi'r gwirionedd, mi gollodd hi ei swydd yn y Labordy. Wedyn, toc cyn y Chwyldro, mi ddiflannodd. Os 'dan ni'n iawn mai mam Cadi ydi hi, rhaid mai bryd hynny daeth hi i'n byd ni.'

***

Allai Cadi ddim cysgu y noson honno. Roedd popeth yn troi yn ei meddwl. Pwy oedd ei mam? Ai'r Frenhines Cêt oedd hi, wedi newid ei henw? Neu oedden nhw'n perthyn, yn chwiorydd efallai? Beth bynnag, doedd dim amheuaeth nawr ei bod yn aelod o'r teulu brenhinol creulon roedd Cacwn Cêt yn ceisio ei helpu i adennill pŵer yn Annwfn. Byddai llawer o ferched wrth eu bodd cael bod yn dywysoges. Ond doedd Cadi erioed wedi gwirioni ar dywysogesau. Roedd Sandra wastad yn dweud straeon wrthi am fenywod cyffredin oedd wedi gwneud pethau anghyffredin – fel Marie Curie, Emily Pankhurst ac Eileen Beasley. Nhw oedd ei harwyr, meddai hi, nid pobl oedd wedi cael eu geni'n dywysogesau neu'n arglwyddesau heb wneud unrhyw beth i ennill yr anrhydedd.

Ond... roedd ei mam, ei mam go iawn, yn wyddonydd penigamp yn ogystal â bod yn dywysoges. Roedd hi'n haeddu parch, felly. Ond roedd hi wedi ochri â'r teulu brenhinol a oedd wedi gwneud pethau erchyll i bobl gyffredin Annwfn. Roedd hi wedi bradychu Dr ab Einion, a Miss Cilcoed. Oedd hi? Efallai taw nhw oedd wedi dweud celwydd, a'i bod hi'n hollol ddiniwed. Ond allai Cadi ddim dychmygu Miss Cilcoed yn dweud celwydd nac yn cyhuddo neb ar gam. A beth am Dr ab Einion? Doedd e ddim yn licio Cadi, roedd hynny'n amlwg. Pam nad oedd e moyn iddi fod yn yr ysgol? Oedd e'n ofni y byddai hi'n darganfod y gwir?

Ble roedd ei mam nawr? Roedd Miss Cilcoed wedi dweud nad oedd hi'n gwybod i sicrwydd a oedd hi'n dal yn fyw, hyd yn oed. Ond roedd Cadi yn dal i gredu ei bod yn gwybod mwy nag yr oedd wedi'i ddweud. Oedd hi'n gwybod bod Gwen yn gysylltiedig â Chacwn Cêt? Neu ai Dr ab Einion oedd y dihiryn mewn gwirionedd? Caeodd Cadi ei llygaid yn dynn a cheisio meddwl am rywbeth arall ond roedd hi'n hwyr iawn cyn iddi gysgu, ac roedd ei breuddwydion yn annifyr.

Fore trannoeth, roedd hi wedi blino'n rhacs. Edrychodd Sandra arni'n ofidus, wrth iddi wthio tost o gwmpas ei phlât.

'Wyt ti'n iawn, blodyn?' gofynnodd yn dyner. 'Ti ddim yn edrych yn dda. Ti moyn aros gartre heddi? Galli di ddod gyda fi i'r siop ac eistedd yn y bac 'da photel dŵr poeth a llyfr.'

Roedd gan Sandra siop yn Aberaeron a werthai dlysau, addurniadau, a chelf gan artistiaid lleol. Roedd Cadi wastad yn mwynhau mynd gyda hi i'r gwaith. Roedd stafell fach glyd yn y cefn, gyda hen soffa Mam-gu ynddi. Roedd y syniad o orwedd yno dan flanced trwy'r dydd yn apelio: darllen llyfr a bwyta bisgedi, a sŵn Sandra'n chwerthin gyda'i chwsmeriaid yn y cefndir. Ond na: roedd rhaid iddi fynd yn ôl i Annwfn i chwilio am atebion i'r holl gwestiynau oedd wedi'i chadw ar ddi-hun yn yr oriau mân.

'Dwi'n iawn,' meddai. 'Dwi moyn mynd i'r ysgol.'

'Ocê, cariad,' meddai Sandra, 'os ti'n siŵr.'

***

Synnwyd Mohammed pan ddwedodd Cadi wrtho amser egwyl ei bod am fynd gydag e i'r llyfrgell i'w helpu yn ei ymchwil. Edrychodd Tractor arni fel petai'n wirion bost, ond roedd Cadi'n benderfynol. Ond wrth iddyn nhw groesi'r Cwad, roedd Tom Jarvis yn cerdded yn bwrpasol i gyfeiriad y prif ddrws, gan edrych dros ei ysgwydd, fel pe bai am sicrhau nad oedd neb yn ei wylio.

'Be ma Tom yn neud?' meddai Cadi.

'Rhyw ddrygioni, siŵr iawn,' meddai Mohammed. 'Gad i ni'i ddilyn o.'

'Na,' meddai Cadi. 'Cer di i'r llyfrgell. Os ni'n ei ddilyn e, bydd e'n sylwi. Galla i hedfan ar ei ôl e...'

'... a baswn i'n neud smonach o betha,' meddai Mohammed. 'Dwi'n gwbod. Ti'n iawn – dos ar ei ôl o.'

Roedd Mohammed yn hedfan yn well erbyn hyn, ond doedd e ddim hanner cystal â Cadi. Rhedodd am y prif ddrws, gan dynnu ei hadenydd o'i phoced. Edrychodd o'i chwmpas yn frysiog. Doedd disgyblion ddim i fod i hedfan heb oruchwyliaeth aelod o staff, ond byddai'n rhaid i Cadi gymryd y risg. Allai hi ddim gweld neb, beth bynnag. Gwisgodd yr adenydd a chodi'n syth i'r awyr.

Cylchodd fel barcud yn chwilio am ei brae. I ddechrau, doedd dim sôn am Tom yn unman. Ac yna, gwelodd ef, mewn llannerch yn y coed, yn siarad â dyn. Disgynnodd Cadi yn is, nes y gallai adnabod y dieithryn. Barti John.

14

Stori Tom

RHODDODD TOM JARVIS ei law iach yn ei boced, tynnu rhyw becyn bach allan a'i roi i Barti John. Derbyniodd rywbeth yn ôl gan hwnnw. Allai Cadi ddim clywed geiriau Barti ond roedd tôn ei lais yn swnio braidd yn gas. Yna trodd Barti a chilio i'r coed. Edrychodd Tom o'i gwmpas yn nerfus, ac yna brysio'n ôl i gyfeiriad yr ysgol.

Penderfynodd Cadi yn y fan a'r lle ei bod hi'n mynd i'w wynebu a mynnu gwybod beth oedd yn digwydd. Plymiodd i lawr a glanio o'i flaen ar y llwybr. Bu bron iddo neidio allan o'i groen. Roedd wedi bod yn edrych i'r naill ochr ac i'r llall, a thros ei ysgwydd, ond doedd e ddim wedi meddwl edrych i fyny.

'Be sy'n mynd mlaen, Tom?' meddai Cadi, gan blethu ei breichiau.

'Oh, leave me alone, Cadi,' meddai Tom yn flin. 'I'm not in the mood!'

'Be 'nest ti roi i Barti John?'

'Dim byd,' meddai Tom yn styfnig. 'None of your business.'

'Gwranda,' meddai Cadi, 'dwi'n gwbod bod ti wedi rhoi rhywbeth i Barti, a bod ti wedi derbyn rhywbeth ganddo fe. Dwi'n gwbod hefyd bod ti 'di bod yn helpu Heledd i drial torri i mewn i'r tŵr. Os dwi'n mynd â hyn at yr Athro Garwyn, ma siawns cei di dy gico mas o'r ysgol. Ond wna i ddim hynny os ti jyst yn gweud wrtha i be mae Barti John yn neud, a Heledd hefyd. O't ti'n ddewr iawn gyda'r uncorn, felly dwi'n gwbod bod ti ddim fel Heledd a'i chriw, sy'n barod i neud unrhyw beth i helpu'r Cacwn, hyd yn oed os yw pobol yn cael eu brifo. O'n i wastod yn meddwl taw hen fwli cas o't ti, ond ti ddim, wyt ti? Heledd yw'r bwli – dwi 'di gweld shwt mae'n dy drin di.'

Safodd Tom yn llonydd wrth i Cadi siarad. Gwibiai ei lygaid o un man i'r llall. Roedd yn amlwg ei fod rhwng dau feddwl.

'Okay,' meddai o'r diwedd. 'Bydda i'n dweud beth fi'n gwybod, os ti ddim yn dweud wrth yr athrawon. *Deal?*'

'*Deal,*' meddai Cadi'n bendant.

'Dwi ddim yn gwybod lot, *mind you,*' aeth Tom yn ei flaen. 'Dydy Barti ddim wedi dweud beth mae e'n neud, a dydy Heledd ddim yn trystio fi, felly dydy hi ddim yn dweud lot chwaith.'

'Gwed be ti *yn* gwbod, Tom,' meddai Cadi.

'Fi ddangosodd i Barti John sut i ddod i Annwfn. Wnaeth e ddilyn y bws yn ei gar un diwrnod.'

'Pam?' gofynnodd Cadi. 'Roedd hi'n amlwg ei fod e'n neud rhywbeth drwg!'

'Yr arian, wrth gwrs,' meddai Tom yn flin. 'It's alright for you, Cadi; Mami a Dadi â'u jobs neis, y Clwb Rygbi, Eisteddfod and all that – y teulu Williams, pillars of the community. Ti'n gwybod sut mae teulu fi? Mae dad fi wedi gadael, dydy e ddim yn rhoi arian i Mam, not a penny, ac mae'r Cownsil yn mynd i gicio ni mas o'r tŷ achos dydy Mam ddim yn gallu talu'r rhent. Part time job in Spar, dim gobaith. So of course I took money from Barti John. Mae brawd mawr fi yn y carchar, dim yn gweithio yn Oman fel mae Mam yn dweud, felly dydy e ddim yn gallu helpu. Dwi'n gwybod bod e ddim yn beth da i helpu Barti John, dwi ddim yn dwp, ond what would you do?'

Cwestiwn da iawn, meddyliodd Cadi. Doedd hi erioed wedi meddwl am ba mor gysurus oedd ei bywyd o'r blaen. Allai hi ddim dychmygu bod yn esgidiau Tom. Roedd hwnnw'n syllu arni, ei wyneb yn goch, a dwrn ei fraich dda wedi'i gau. Cododd Cadi ei hysgwyddau.

'Bydden i'n neud yr un peth, siŵr o fod,' meddai'n dawel.

Edrychodd Tom arni'n syn. Doedd e ddim wedi disgwyl i Cadi ymateb fel hyn. Diflannodd y dicter o'i wyneb. Er mawr syndod iddi, sylwodd Cadi fod dagrau yn ei lygaid. Blinciodd e'n ffyrnig.

'Tom!' meddai Cadi, 'Wyt ti'n iawn?'

'Ydw,' meddai'n floesg, 'dwi'n iawn.' Llyncodd ei boer. 'Don't you dare tell anyone I've been crying, okay?'

Nodiodd Cadi. Trodd Tom i ffwrdd am ennyd, gan rwbio ei wyneb gyda llawes ei fraich dda. Pan drodd yn ôl i wynebu Cadi, gwelodd hi fod ei lygaid yn goch.

'Iawn,' meddai Tom o'r diwedd. 'Roedd Barti John eisiau dod i Annwfn. 'Nes i ddangos y porth iddo fe. Dwi ddim yn gwybod pam mae e eisiau dod yma. Ond roedd e'n siarad am y teulu brenhinol lot. So, 'nes i introdiwso fe i Heledd. Fi'n *go-between* iddyn nhw, cario llythyrau, *that sort of thing.* A dwi'n cael arian wedyn ganddo fe.'

'Ti'n gwbod be sy yn y llythyrau?' gofynnodd Cadi'n frwd.

Ysgydwodd Tom ei ben.

'Falle fydde fe ddim yn talu am lythyr wedi agor, felly dwi ddim yn edrych arnyn nhw,' meddai.

'Beth am y tŵr?' gofynnodd Cadi. 'Pam mae Heledd moyn torri i mewn?'

'Dwi ddim yn gwybod hynny chwaith,' meddai Tom, 'ond mae rhywbeth yn y tŵr mae Barti eisiau. Rhywbeth peryglus, dwi'n credu. Mae lot o *firepower* yn y *spells* ar y drws 'na. Ti'n gwybod bod Heledd yn dda gyda *magic* a phethau, ond doedd hi ddim yn gallu agor e. Ond cafodd hi help gan un o'r athrawon yn y diwedd.'

'Pwy?' gofynnodd Cadi'n frwd, er ei bod yn meddwl ei bod yn gwybod yr ateb.

'Pwy ti'n meddwl? Mr Fathead.'

'Penfras? O'n i'n gwbod bo' fe'n un o'nyn nhw!' meddai Cadi. 'Felly lwyddodd Heledd i ddwgyd beth bynnag sydd yn y tŵr, pan oedd yr uncorn ar dir yr ysgol?'

'Dwi'n credu,' meddai Tom. 'Dyw hi ddim eisiau mynd i'r tŵr bob amser egwyl nawr.'

Crychodd Cadi ei haeliau.

'Pam wnest ti redeg am yr uncorn?' gofynnodd.

'Do'n i ddim yn gwybod am yr uncorn,' meddai Tom, gan ysgwyd ei ben yn araf. 'Tamburlaine *whatsisface* ddaeth ag e. Someone could have been killed. Pan welais i fe'n rhedeg ar ôl y plant, meddyliais i, I've got to stop this. Dyw e ddim yn iawn, gadael *wild animal* i mewn i ysgol. Ond sdim ots 'da Heledd, mae hi'n seico. Maen nhw i gyd yn seicos, Cacwn Cêt.'

'Paid helpu nhw, 'te,' meddai Cadi.

'Dwi angen yr arian,' meddai Tom yn syml. 'Hefyd, mae pawb arall yn hêto fi – ti, Tractor, Mo...'

'Nath Tractor achub dy fywyd di!' torrodd Cadi ar ei draws. 'A 'nest ti ddim hyd yn oed gweud diolch!'

Duodd wyneb Tom.

'If she knew what I'd done,' meddai'n grac, 'she'd wish she hadn't bothered! Look, dwi wedi dweud beth dwi'n gwybod. Ga i fynd nawr, plis?'

Ochneidiodd Cadi.

'Cei,' meddai, gan gamu i'r neilltu.

Stompiodd Tom i ffwrdd i gyfeiriad yr ysgol. Edrychodd Cadi ar ei gefn, gan droi'r sgwrs yn ei meddwl. Doedd hi ddim llawer nes at ddeall beth oedd yn digwydd. Ond roedd hi wedi dysgu lot am Tom Jarvis.

★★★

'Ti'n siŵr bo' fe ddim yn gweud celwydd?' gofynnodd Tractor, ar ôl i Cadi adrodd yr hanes i gyd wrthi hi a Mohammed yn nes ymlaen ar ôl eu gwers hedfan.

'Sai'n credu bod e,' meddai Cadi. 'Dim ond negesydd yw e, mewn gwirionedd.'

'Y diawl bach,' meddai Tractor.

'Ma fe mewn lle cas, Tractor,' meddai Cadi.

'Wel, sori am feirniadu dy gariad newydd di,' meddai Tractor yn bigog.

'Dyna ddigon, genod,' meddai Mohammed, 'dwi'n trio meddwl.'

Eisteddodd ar foncyff coeden a dechrau tynnu'r petalau fesul un o flodyn llygad y dydd. Roedd yn gwgu nes bod llinell ddofn fel dyffryn yn ymddangos ar ei dalcen, rhwng ei ddau lygad. Yn sydyn, neidiodd ar ei draed.

'Ia, dyna be ydi o!' gwaeddodd, mor uchel fel bod

cwpl o adar amryliw yn hedfan o goeden gyfagos gan grawcian yn aflafar.

'Beth?' gofynnodd y ddwy ferch fel côr.

'*Geotechnical energy*,' meddai Mohammed, ei lygaid yn disgleirio. 'Dyna gêm John Bartholomew, ia?'

'Ie,' meddai Cadi, 'dyna beth ma fe'n mynd i gynhyrchu ar ei safle yn Arberth, yn ôl be dwi'n deall.'

'Ond nid "cynhyrchu" fydd o,' dwedodd Mohammed. 'Sugno!'

Edrychodd y ddwy ferch arno'n syn.

'Chi'n cofio be ddeudodd Dr ab Einion am hud Annwfn?' gofynnodd. 'Math o ynni, ddeudodd o, sy'n troi'n drydan yn ein byd ni. Dyna gynllun Barti John: sugno'r hud o Annwfn er mwyn creu trydan. Rhaid i ni stopio fo!'

15

Y Daith i Arberth

'TI 'DI GWELD Cadi Ddu o gwbwl eto?' meddai Dad, gan geisio swnio'n ddidaro.

'Nadw,' meddai Cadi. 'So hi'n siarad â fi.'

'Dwi'n gwbod bo' chi 'di cwmpo mas,' meddai Dad, 'ond hen hanes yw hynny erbyn hyn. Beth am i ni ei gwahodd hi draw Ddydd San Steffan?'

Cododd Cadi ei hysgwyddau.

'Os ti moyn,' meddai. 'Sdim ots 'da fi.'

Roedd y ddau'n eistedd yng nghaffi'r amgueddfa yn Aberystwyth, wedi eu hamgylchynu gan fagiau yn gorlifo â phecynnau o wahanol siapiau a meintiau. Roedd cwpanaid o siocled poeth o flaen Cadi, a choffi cryf o flaen ei thad. Roedd Shane McGowan a Kirsty MacColl yn canu ar y radio. Roedd hi'n bwrw glaw'n drwm y tu allan, ac yn ddychrynllyd o oer i gymharu â thywydd hafaidd Annwfn. Roedd tymor cyntaf Cadi yn Academi Gwyn ap Nudd wedi dod i ben, ac yn ôl yn ei byd hi roedd tri diwrnod o siopa ar ôl cyn y Nadolig.

Roedd Sandra a Gethin wedi mynd i wneud ryw siopa cyfrinachol, ac roedd Dad a Cadi wedi manteisio ar y cyfle i fynd i chwilio am anrheg i Sandra.

'Dwi byth yn gwbod beth i brynu iddi hi,' dwedodd Dad. 'Alli di helpu fi, Cads? Ti'n fenyw – rhaid bod ti'n deall shwt mae ei meddwl hi'n gweithio.'

Roedd Cadi wedi rowlio ei llygaid, ond mewn gwirionedd roedd hi wedi teimlo'n falch ei fod wedi gofyn am ei help. Yn y pen draw, roedd hi wedi dewis sgarff sidan a broets siâp cath.

'Diolch, cariad, ti werth y byd,' meddai Dad mewn rhyddhad. 'Bryna i siocled poeth i ti.'

Roedd y ddau wedi rhedeg trwy'r glaw, gan wau trwy'r torfoedd a'r ymbaréls yn rhuthro o siop i siop mewn panig Nadoligaidd. A dyma nhw, nawr, yn cysgodi yn y caffi clyd, gyda'r lleisiau siriol a'r gerddoriaeth dymhorol yn gefndir i'w sgwrs.

'Dwi jyst yn meddwl bod hi'n drist bod y ddwy o'noch chi ddim yn siarad. Chi'n ffrindiau ers oes pys.'

'Mae pobol yn newid,' meddai Cadi.

Roedd hi'n meddwl am yr holl brofiadau roedd hi wedi'u cael ers dechrau yn Academi Gwyn ap Nudd, a'r dirgelwch roedd hi a'i ffrindiau wrthi'n ceisio ei ddatrys. A'r hedfan! Sut allai hi fod yn ffrind agos â rhywun oedd yn methu hedfan? Rhywun nad oedd erioed wedi gweld uncorn? Rhywun nad oedd hyd yn oed yn credu mewn tylwyth teg?

'Ydyn, sbo,' meddai Dad yn drist, gan estyn am gopi o'r *Cambrian News* oedd yn gorwedd ar y ford. Ar ôl bodio trwy'r tudalennau am funud, dwedodd:

'Drycha! Mae Dr Bartholomew wedi cyhoeddi dyddiad ei ddiwrnod agored yn Arberth: 15 Ionawr. Mae'r gwaith yn mynd yn ei flaen yn gynt na'r disgwyl, mae'n gweud fan hyn, ac mae'n awyddus iawn i ddangos potensial *geotechnical energy* i'r cyhoedd. Jiw, jiw! Ti dal isie mynd?'

'Odw,' meddai Cadi. 'Fydde'n iawn i gwpwl o ffrindie ddod hefyd?'

'Bydde, siŵr,' meddai Dad.

'Beth oedd arwyddocâd hyn?' gofynnodd Cadi i'w hunan. Pam fod Barti John yn barod nawr? Oedd e wedi cael ei fachau ar beth oedd yn y tŵr? Oedd hynny wedi caniatáu iddo ddechrau sugno'r hud o Annwfn yn gynt nag yr oedd wedi disgwyl? Roedd yn ysu am gael gweld y safle ei hunan. Byddai cliwiau yno, does posib?

'Dyma ble chi'n cwato!' meddai llais Sandra y tu ôl iddi. 'Chi 'di cael popeth chi moyn?'

'Dwi'n credu,' meddai Dad, gan gau'r papur. 'Beth am i ni fynd cyn iddi hi nosi?'

***

Pasiodd y Nadolig a'r flwyddyn newydd. Roedd Cadi wastad yn mwynhau'r Nadolig: canu carolau yn y pentre, addurno'r goeden, Gethin yn codi'n gynnar gynnar bore Nadolig ac yn rhedeg i stafell Dad a Sandra i'w dihuno fel y gallai ddechrau rhwygo'r papur oddi ar ei anrhegion. Ond roedd pethau braidd yn wahanol eleni. Roedd hi'n byw bywyd dwbl. Allai hi ddim trafod y dirgelwch yn Annwfn gyda Dad na Sandra na neb arall, ond eto allai hi ddim meddwl am unrhyw beth arall. Byddai'n siarad â Tractor a Mohammed ar y ffôn yn aml, ac roedd hi'n amlwg eu bod yn teimlo'r un ffordd. Roedd hyn yn gysur o ryw fath. Gwelodd hi Tom Jarvis unwaith yn y sgwâr, adeg cynnau goleuadau Nadolig y pentre. Ystyriodd fynd draw ato, ond allai hi ddim dal ei lygad. Bob tro roedd hi'n edrych i'w gyfeiriad, byddai'n troi i ffwrdd. Roedd Mrs Jarvis gydag e, a golwg flinedig arni. Doedd Cadi erioed wedi bod yn hoff o Mrs Jarvis: menyw ganol oed, sur yr olwg, gyda thatŵs a dillad a fyddai'n edrych yn well ar rywun ugain mlynedd yn iau na hi. Byddai wastad yn cwyno pan fyddai pobl yn siarad Cymraeg o'i blaen, a byddai baner San Siôr yn cyhwfan o'i char bob tro y byddai tîm pêl-droed Lloegr yn chwarae. Ond nawr, wrth edrych ar y bagiau o dan ei llygaid, ac wrth gofio am yr hyn roedd Tom wedi'i ddweud am ei deulu, roedd Cadi'n teimlo piti drosti.

'Happy Christmas, Mrs Jarvis,' dwedodd wrth ei phasio, ond dim ond edrych arni'n syn wnaeth Mrs Jarvis.

Am ryw reswm, doedd Cadi Ddu na'i theulu ddim

wedi bod yn y sgwâr. Yn y pen draw, welodd y ddwy Cadi ddim o'i gilydd o gwbl yn ystod y gwyliau. Ddwedodd Dad ddim gair am wahodd Cadi Ddu ar ôl y diwrnod hwnnw yn y caffi.

O'r diwedd, roedd hi'n amser mynd yn ôl i'r ysgol. Safodd Cadi o flaen y tŷ yn y tywyllwch, wedi'i lapio mewn cot, sgarff a het wlân, ond eto'n crynu yn yr oerfel. O dan ei dillad gaeafol, roedd hi'n gwisgo ffrog haf ysgafn, yn barod am wres Annwfn. Roedd Sandra wedi codi ael pan welodd ei dewis dillad.

'Mae hi wastad yn rhy dwym yn yr ysgol,' roedd Cadi wedi esbonio.

Mor brydlon ag erioed, rhuglodd yr hen fws i'r golwg, gyda'r gyrrwr mud wrth y llyw. Edrychodd Cadi arno â chymysgedd o biti ac arswyd. Wrth weld y graith hyll ar ei wddf, crynodd wrth ddychmygu'r hyn oedd wedi digwydd iddo.

'Cadi!' gwaeddodd Tractor, 'Blwyddyn newydd dda! Dwi mor falch i dy weld di!'

'Fi hefyd!' meddai Cadi.

***

Y noson cyn y daith i Arberth, daeth Mohammed i aros dros nos yn nhŷ Cadi. Roedd Sandra wedi poeni'n arw ers wythnos. Doedd hi erioed wedi cwrdd â Moslem o'r blaen.

'Be maen nhw'n fyta?' gofynnodd yn bryderus. 'Dim porc, dwi'n gwbod hynny. Odyn nhw'n *vegetarians*?'

Cododd Cadi ei hysgwyddau. Doedd hi erioed wedi sylwi ar beth roedd Mohammed yn ei fwyta yn yr ysgol.

'Sai'n credu,' meddai.

'Wnei di ofyn iddo fe, bach?' meddai Sandra. 'A beth am weddïo? Fydd angen lle arbennig iddo fe weddïo?'

Roedd Mohammed wedi chwerthin pan ofynnodd Cadi iddo.

'Dwi'n byta unrhyw beth ond porc a sweetcorn,' meddai, 'a dwi bron byth yn gweddïo, ond paid deud hynny wrth Mam!'

'Dyw Moslemiaid ddim yn cael byta sweetcorn?' gofynnodd Cadi'n syn.

'Ddyla neb fyta sweetcorn,' meddai Mohammed. 'Ych-a-fi!'

Er gwaethaf pryderon Sandra, roedd ymweliad Mohammed yn llwyddiant ysgubol.

'Ma fe'n siarad Cymraeg yn dda iawn,' meddai Sandra.

'Hisht!' meddai Cadi mewn embaras. 'Ma fe'n gallu clywed ti!'

'So fe'n siarad Cymrâg yn dda o gwbwl,' meddai Dad, gan wincio ar Mohammed. 'Prin galla i ddeall e!'

'Ody hyn yn well, Mr Williams?' meddai Mohammed, gan ddynwared acen y Cardi.

Chwarddodd Dad.

''Na welliant, achan,' meddai. 'A plis, galw fi'n Shiny. Dim ond y bòs a rheolwr y banc sy'n galw fi'n Mr Williams. Mae'n neud i fi deimlo'n nerfus!'

Cododd pawb yn gynnar iawn fore trannoeth, cyn iddi wawrio. Daeth Tractor i gwrdd â nhw yn sgwâr y pentref. Cafodd lifft gan ei mam, oedd yn edrych yn union fel Tractor, ond 30 mlynedd yn hŷn. Wrth iddyn nhw ddynesu at y bws mini, gwelodd Cadi fod Cadi Ddu yn eistedd yn y sêt y tu ôl i'r gyrrwr, lle byddai hi wastad yn eistedd ar dripiau ysgol oherwydd ei bod yn dioddef o salwch teithio. Roedd hi'n gwisgo het wlân binc a sgarff hir, ac roedd yn cydio'n dynn yn ei bag bach Little Mermaid oedd ganddi ers Blwyddyn 2 yn Ysgol Llanfair. Roedd hi'n edrych yn fach ac yn unig. Stopiodd Cadi Goch ar unwaith, ac edrych yn gas ar ei thad. Cododd yntau ei ddwylo, fel petai'n ildio iddi.

'Ocê,' meddai, 'dylen i fod wedi gofyn i ti, ond o'n i'n ofni na fyddet ti'n cytuno. Alla i ddim diodde gweld y ddwy o'noch chi'n cwmpo mas, 'na i gyd, ac mae Sandra a Mrs Jenkins yn teimlo'r un ffordd. Dyma gyfle i chi fod yn ffrindie, on'dife, ac iddi hi gwrdd â dy fêts newydd. Tria fod yn ffeind, wnei di?'

'Iawn,' meddai Cadi.

Damo! meddyliodd. Roedd hi, Tractor a Mohammed am sleifio bant i archwilio'r safle ac i geisio darganfod beth oedd cynlluniau Barti John. Sut allan nhw wneud hynny gyda Cadi Ddu'n eu dilyn? Byddai rhaid iddyn nhw ei cholli hi, rywsut. Dringodd Cadi Goch i mewn i'r bws gyda Tractor a Mohammed wrth ei sodlau. Stopiodd wrth ymyl Cadi Ddu.

'Helô, Cadi,' meddai, 'do'n i ddim yn gwbod bod ti'n dod. Dyma fy ffrindiau, Mohammed a Tractor.'

Dwedodd pawb 'helô' wrth ei gilydd.

'Tractor?' meddai Cadi Ddu'n chwilfrydig.

'Stori hir,' meddai Tractor.

Erbyn hynny, roedd pawb wedi cyrraedd. Roedd cydweithwyr Dad yn chwerthin gyda'i gilydd, yn yfed coffi o'u fflasgiau, ac yn siarad am bêl-droed.

'Iawn 'te,' meddai Dad wrth y gyrrwr, 'man a man i ni gychwyn.'

Ond yna, gwelon nhw ffigur bach mewn siaced denau yn rhedeg ar hyd y sgwâr atyn nhw.

'Aros funud,' meddai Dad. 'Un bach arall?'

Syllodd Cadi mewn anghrediniaeth.

'Tom Jarvis!' meddai.

Cyrhaeddodd Tom ddrws y bws.

'Esgusodwch fi, Mr Williams,' meddai. 'Oes lle i un arall?'

'Jiw jiw, Tom,' meddai Dad, gan grafu ei ben, 'mae dy Gymraeg di wedi gwella ers i ti ddechrau yn yr ysgol newydd! Oes, siŵr, os yw Mrs Jarvis yn hapus i ti ddod.'

'Ydy,' meddai Tom, 'dyna hi.'

Amneidiodd ar hen gar ochr arall y sgwâr, ac roedd Cadi Goch yn gweld bod rhywun ynddo, er na allai fod yn siŵr yn y gwyll boreol mai mam Tom oedd yno.

'Iawn,' meddai Dad. 'Cer i eistedd. Ni'n barod i fynd.'

Daeth Tom i eistedd y tu ôl i'r ddwy Cadi.

'Be ti'n neud fan hyn, Tom?' hisiodd Cadi Goch.

'Clywais i chi'n siarad am y trip,' meddai. 'Dwi'n dod i helpu chi i stopio Barti John.'

'Hisht!' meddai Cadi Goch, gan amneidio ar Cadi Ddu.

'Be sy'n mynd mla'n?' gofynnodd honno. 'Pwy yw Barti John?'

'Ym,' meddai Mohammed, 'bachgen o'r ysgol. Rêl swot. Mae o'n meddwl fod o'n mynd i gael y marc gora am ei brosiect ar ynni gwyrdd, ond 'dan ni'n mynd i'w guro fo. Efo help Tom, wrth gwrs.'

Diolchodd Cadi Goch i Mohammed yn dawel am feddwl mor chwim. Roedd Cadi Ddu fel petai wedi derbyn yr esboniad. Roedd Tom wedi agor ei geg i ddweud rhywbeth ond syllodd Tractor arno'n gas nes iddo ei chau'n glep.

Roedd hi'n goleuo wrth iddyn nhw wibio i lawr ar hyd yr arfordir i gyfeiriad Arberth. Roedd cymylau trwm uchwben y môr, ac wrth deithio trwy ogledd Sir Benfro gallen nhw weld eira yn gorwedd ar gopaon mynyddoedd y Preselau. Wrth ddynesu at Arberth roedd arwyddion mawr ar ochr yr heol yn eu cyfeirio at Ddiwrnod Agored Geotec. O'r diwedd, dyma nhw'n cyrraedd safle ar gyrion y dref, lle roedd pobl mewn siacedi llachar yn cyfeirio'r ceir i gae cyfagos. Roedd tipyn yno'n barod. Aeth pawb allan o'r bws ac i'r oerfel. Roedd Tom Jarvis yn crynu yn ei siaced ysgafn. Doedd ganddo ddim het na menig.

'Pam bod dim cot 'da ti'r penbwl?' gofynnodd Tractor.

'Dwi'n iawn,' meddai Tom gan wgu arni.

'Ti'n sythu, 'chan!' meddai hi.

'Gad e, Tractor,' meddai Cadi Goch.

Diffyg arian oedd y rheswm go iawn nad oedd gan Tom got aeaf, mae'n siŵr, meddyliodd.

'Ti moyn menthyg fy het i?' gofynnodd iddo.

'Dwi'n iawn,' chwyrnodd Tom, a chamu i ffwrdd, ei ddwylo'n ddwfn yn ei bocedi a choler ei siaced i fyny dros ei glustiau.

'Be sy'n bod arno fe?' gofynnodd Tractor, ond y funud honno dyma Mohammed, a oedd yn syllu ar ei ffôn yn hytrach na chanolbwyntio ar ble roedd yn mynd, yn taro yn ei herbyn.

'Aw! Watsia ble ti'n mynd, Mo!' gwaeddodd.

'Sori, Tractor,' meddai Mohammed yn frysiog, 'ond dwi wedi darganfod rhywbath pwysig, dwi'n meddwl.'

'Beth?' gofynnodd Cadi Goch yn frwd.

'Hwnna ydi Camp Hill,' meddai Mohammed gan bwyntio at fryn isel uwchben safle Geotec, 'sef Gorsedd Arberth.'

Oedodd, gan ddisgwyl ymateb, ond edrych ar ei gilydd yn ddryslyd wnaeth y ddwy ferch.

'Dyna ble mae Pwyll yn cwrdd â Rhiannon yn y Mabinogi,' meddai Cadi Ddu, 'y Frenhines o'r Byd Arall.'

Nodiodd Mohammed. Doedd e ddim wedi sylwi bod Cadi Ddu'n gwrando.

'Rhaid bod porth i Annwfn yma,' meddai Tractor yn frwd. 'Dyna pam fod Barti John wedi dewis y safle yma!'

'O'n i'n meddwl taw prosiect ar ynni gwyrdd chi'n neud, dim y Mabinogi,' meddai Cadi Ddu.

'Chydig o'r ddau,' meddai Mohammed.

Gwgodd Cadi Ddu.

'Prosiect od,' mwmialodd dan ei gwynt.

'Rhaid i ni gael gwared o'ni hi,' sisialodd Tractor wrth Cadi Goch. 'Ni ddim moyn mwy o gwestiynau.'

Nodiodd Cadi Goch, ond allai hi ddim gweld sut. Roedd Tom wedi diflannu, o leiaf, meddyliodd. Roedden nhw wedi cyrraedd mynedfa'r safle. Roedd dwy ddynes yn gwisgo cotiau piws gyda logo Geotec arnyn nhw yn rhoi bagiau piws â'r un logo arnyn nhw i bawb. Yn y bagiau roedd yna bensil, beiro, llyfrnod piws, hysbysebion am fusnesau lleol, a llyfrynnau lliw ar bapur sgleiniog yn brolio cwmni Geotec, yn Gymraeg ac yn Saesneg. Ar y safle roedd stondinau bwyd, castell bownsio, llwyfan lle roedd côr meibion yn canu, ac yna, reit yn y canol, pafiliwn mawr piws a chiw yn nadreddu o'r fynedfa ar hyd y cae.

'Bydd arddangosiad yn y pafiliwn mewn deg munud,' meddai Dad gan edrych yn ei lyfryn. 'Ymunwn ni â'r ciw.'

'Bydd hynny'n amser da i ni fynd i archwilio'r safle,' sisialodd Cadi Goch wrth Tractor a Mohammed.

Felly, yn lle ymuno â'r ciw, dwedodd yn uchel ei bod hi angen y toilet.

'Fi hefyd,' meddai Tractor.

'A fi,' meddai Mohammed.

Ar ôl i'r tri droi cornel y pafiliwn, dyma nhw'n edrych ar fap o'r safle oedd ar gefn y llyfryn sgleiniog.

'Sbïwch,' meddai Mohammed, 'mae'r ardal y tu ôl i'r pafiliwn yn dweud "Dim mynediad i'r cyhoedd". Dyna'r lle i ddechrau!'

Cytunodd y lleill, ac i ffwrdd â nhw at yr ardal honno.

'Mae rhyw aderyn yn ein gwylio ni,' meddai Tractor, gan bwyntio.

Roedd jac-do yn eistedd ar un o bolion y pafiliwn ac yn edrych arnyn nhw â'i lygad gwelw. Neidiodd calon Cadi Goch wrth gofio am y jac-do oedd wedi'i dilyn hi, yn ôl yn yr haf.

'Sdim amsar i wylio adar rŵan, Tractor Bach Coch,' meddai Mohammed. 'Dyma ni!'

Amneidiodd ar arwydd ar glwyd fetel: 'Dim

Mynediad'. Roedd ceir a threlars, rhai â logo Geotec, yn yr ardal waharddedig, a phabell fawr yn eu mysg. Y tu allan i'r babell safai dau ddyn mawr mewn gwisgoedd du. Er gwaetha'r tywydd cymylog roedd sbectol haul dros eu llygaid.

'Bingo!' meddai Mohammed. 'Beth bynnag 'dan ni'n chwilio amdano fo, betia i fod o i mewn yn fan'na!'

'Ond shwt allwn i fynd heibio'r ddou gorila 'na?' meddai Tractor.

'Hawdd!' meddai Mohammed, ond cyn iddo esbonio ei gynllun, tynnwyd ei sylw gan rywbeth arall.

Pwyntiodd at y glwyd.

'Sbïwch!' meddai. 'Jac-do eto!'

A dyna lle roedd e, yn syllu arnyn nhw ag un llygad gwelw.

'Mae rhywbath od amdano fo,' meddai Mohammed. 'Dwi erioed wedi gweld aderyn yn bihafio fel'na.'

'Dwi'n credu bo' fi wedi'i weld e o'r blaen,' meddai Cadi Goch.

Ond cyn iddi gael cyfle i ddweud mwy, dyma lais y tu ôl iddyn nhw'n gofyn,

'Be chi'n neud?'

A dyna lle roedd Cadi Ddu'n sefyll yn edrych arnyn nhw, ei breichiau wedi'u plethu.

16

Yr Herwgipiad

'DIM BYD,' MEDDAI Cadi Goch. 'Dim ond mynd am dro. O'n i ddim moyn gwrando ar y cyflwyniad boring, 'na i gyd.'

'Paid gweud celwydd, Cadi,' meddai Cadi Ddu. 'Ti 'di bod yn trial cael gwared arna i ers i ni gyrraedd. O'n i'n meddwl gallen ni fod yn ffrindie eto, ond mae'n amlwg bod ti ddim moyn, a bod ti jyst moyn whare gemau gwirion 'da dy fêts newydd. Ti hyd yn oed yn lico Tom Jarvis fwy na fi. Wel dyna ni: dwi ddim isie siarad â ti byth eto!'

Roedd ei llais yn crynu ac roedd dagrau'n cronni yn ei llygaid. Trodd ar ei sawdl, a rhuthro bant.

'Cadi, paid!' meddai Cadi Goch. 'Plis, dere'n ôl! Galla i esbonio!'

'Cer i grafu, Cadi!' meddai Cadi Ddu'n groch dros ei hysgwydd.

Roedd Cadi Goch yn cloffi rhwng dau feddwl. A ddylai redeg ar ei hôl? Ond unwaith bod y cyflwyniad yn y pafiliwn drosodd, byddai'r maes yn llawn pobl eto. Efallai na fydden nhw'n cael cystal cyfle i gael mynediad i'r babell waharddedig wedyn. Roedd yn amlwg fod gan Mohammed gynllun.

Torrwyd ar draws ei meddyliau gan sŵn sydyn. Edrychodd i fyny a gweld Mohammed yn reslo gyda'r jac-do! Tra ei bod hi'n siarad â Cadi Ddu – digwyddiad oedd wedi hoelio sylw'r aderyn – roedd e wedi sleifio y tu ôl iddo a llwyddo ei ddal â'i ddwylo. Roedd y jac-do'n fflapio ei adenydd yn ffyrnig, gan geisio dianc ond roedd Mohammed yn ei ddal yn dynn ag un fraich tra'i fod yn palfalu ar gefn y creadur â'i law arall. Yn sydyn, gwaeddodd yn fuddugoliaethus, ac aeth y jac-do'n hollol lonydd.

'Ti 'di lladd e!' meddai Tractor.

'Nac'dw!' meddai Mohammed, gan wenu'n llydan. 'Doedd o ddim yn fyw yn y lle cynta!'

Cododd ei law i ddangos llond dwrn o wifrau roedd wedi'u tynnu o gefn yr aderyn.

'Robot ydi o,' esboniodd, 'rhyw fath o ddrôn. Ac roedd o'n sbio arnon ni: mae camerâu yn ei lygaid o!'

Daeth ag e at y merched, a gallai pawb weld yn glir nad aderyn go iawn oedd e. Roedd panel yn ei gefn, rhwng yr adenydd, a rhagor o wifrau yn ymestyn allan lle roedd Mohammed wedi'u rhwygo'n rhydd. Lensys camerâu oedd y ddau lygad gwelw.

'Bydd Barti John, neu bwy bynnag sy bia'r aderyn 'ma,

yn gwybod ei fod o wedi'i ddifa, ac yn dŵad i chwilio amdanon ni,' meddai Mohammed. 'Rhaid i ni weithio'n gyflym.'

Stwffiodd y jac-do i'w fag, yna trodd at y merched.

'Galla i dynnu sylw'r bownsars,' meddai. 'Byddwch yn barod i redag.'

Tynnodd hudlath o'i fag. Dechreuodd fwmial rhywbeth dan ei wynt. Roedd yn canolbwyntio cymaint fel bod diferion o chwys ar ei dalcen, er gwaetha'r oerfel. Yn sydyn clywodd pawb graitsh uchel, a gweld bod sgrin wynt un o'r faniau Geotec wedi malu.

'Beth yn y byd?' meddai un o'r gwarchodwyr, a rhedodd y ddau i weld.

'Dewch!' meddai Cadi Goch.

Neidiodd y tri dros y glwyd, a rhedeg am y babell. Gallen nhw glywed un o'r gwarchodwyr yn siarad dros ei radio. Roedd drws y babell yn gilagored. Brysiodd y tri i mewn. Roedd yn wag, heblaw am un bocs pren anferth ar ganol y llawr. Croesodd y tri ato. Roedd ysgol yn pwyso yn erbyn yr ochr. Dringodd Mohammed i dop yr ysgol tra bod y merched yn gwylio'r fynedfa, rhag ofn bod y gwarchodwyr yn dod yn ôl.

'Daria!' meddai Mohammed. 'Alla i ddim agor y caead. Mae'n rhy drwm.'

'Mas o'r ffordd, gwboi,' meddai Tractor. 'Falle taw ti yw brêns y criw, ond fi yw'r mysls.'

Daeth Mohammed i lawr a dal yr ysgol tra bod Tractor

yn dringo i fyny yn ei le. Gosododd ei hysgwydd yn erbyn y caead, a gwthio mor galed ag y gallai. Am ennyd, ddigwyddodd ddim byd ond yna, gyda gwich anffodus o uchel, daeth y caead yn rhydd. Cododd Tractor gornel ac edrych y tu mewn, gan ddefnyddio'r tortsh ar ei ffôn.

'Rhyw fath o grochan anferthol yw e,' meddai hi.

'Gad i mi weld!' meddai Mohammed.

Cyfnewidiodd le â Tractor ar ben yr ysgol, ac edrych i mewn gyda thortsh Tractor.

'Dwi angan mwy o ola,' meddai.

Tynnodd ei hudlath eto, a chreu pelen fach o olau a'i thaflu i berfeddion y bocs. Chwibanodd yn isel.

'O mam bach!' meddai. 'Chi'n gwybod be sy fa'ma? Y Pair Dadeni! Debyg bod yr hen Barti John yn mynd i roi hwn i Cacwn Cêt am eu help yn sugno'r hud o Annwfn!'

'Cywir!' meddai llais y tu ôl iddyn nhw.

Barti John. Wrth ei ymyl roedd un o'r gwarchodwyr mawr yn ei sbectol ddu, a thylwythyn tal a main gyda barf bwch gafr a ffon â charn arian: Tamburlaine o Gacwn Cêt.

'Da iawn, blantos,' meddai Barti John, gan guro ei ddwylo'n araf. 'Chi'n rêl ditectifs, on'd ych chi? Yn anffodus, allwch chi ddim sbwylio 'nghynlluniau i.'

'Ti ddim yn codi ofn arnon ni!' meddai Cadi. 'Ni'n mynd i weud wrth yr Athro Garwyn be ti'n neud. Fyddi di byth yn llwyddo!'

Chwarddodd Barti John.

'Dewr iawn!' meddai. 'Ond beth all tri plentyn ysgol neud yn erbyn tri dyn? Does neb yn gwbod bo' chi 'ma. Chi ddim i fod 'ma chwaith. Mae'r ardal 'ma'n waharddedig i'r cyhoedd oherwydd mae'n beryglus. Mae pawb yn gwbod bod damweinie'n digwydd weithie os nad yw pobol yn dilyn y rheole...'

Gwenodd y dyn mawr y tu ôl iddo'n greulon, gan ymestyn ei ddwylo oedd mor fawr â phlatiau cinio nes bod ei fysedd yn clecian.

'Safwch yn ôl!' meddai Mohammed, gan anelu ei hudlath atyn nhw, 'neu wna i roi'ch trôns ar dân!'

'Ydy e'n gallu neud hynny?' sisialodd Tractor wrth Cadi.

'Hisht!' meddai Cadi.

'Dal dy ddŵr, 'achan!' meddai Barti John.

Yna siaradodd i *walkie talkie*.

'Carl! Dere â'r ferch 'ma!'

Trodd yn ôl at y plant.

'Mae gen i syniad gwell,' meddai. 'Fydd neb yn cael damwain, os y'ch chi'n cydweithio. Bydde marwolaeth tri o blant ar safle Geotec yn adlewyrchu'n wael ar y cwmni. Nawr, rhowch eich breichledau a'r hudlath i fi. Bydd Ifor yn tsiecio nad oes 'da chi unrhyw beth arall allai achosi probleme i ni.'

'Pam fydden ni'n neud unrhyw beth chi'n weud?' gofynnodd Cadi.

'Achos os chi ddim,' meddai Barti John, 'fyddwch chi byth yn gweld eich ffrind bach eto!'

Gyda hynny, daeth y gwarchodwr arall i mewn i'r babell gyda gwn yn ei law. Roedd yn gwthio merch o'i flaen. Roedd ei dwylo wedi'u clymu y tu ôl i'w chefn, ac roedd tâp dros ei cheg. Roedd ei llygaid yn fawr ac yn grwn ag ofn. Syllodd Cadi Goch ar Cadi Ddu mewn arswyd. Roedd Barti John wedi'i herwgipio hi!

'Tamburlaine,' meddai Barti John, 'cer â'r carcharor i Annwfn a'i chadw hi'n saff tra 'mod i'n delio 'da'r rhain.'

'Â phleser!' meddai Tamburlaine gan gydio'n arw yn Cadi Ddu a'i llusgo o'r babell.

'Paid becso, Cadi!' gwaeddodd Cadi Goch ar ei hôl. ''Nawn ni dy achub di!'

Ond teimlai'n hollol ddiymadferth. Doedd ganddyn nhw ddim gobaith o drechu Barti John nawr. Rhaid ufuddhau iddo. Dyna oedd yr unig ffordd i achub bywyd Cadi Ddu.

'Ocê,' meddai Mohammed, gan roi ei hudlath ar y llawr a chodi ei ddwylo i'r awyr, 'chi sy 'di ennill. Does dim byd allwn ni neud. Ond dwi'n dal eisiau gwybod mwy. Fasech chi'n esbonio'r cynllun fel maen nhw'n neud yn ffilmiau James Bond? Sut ffeindioch chi'r Pair Dadeni? A beth oedd yn y tŵr yn yr ysgol oedd mor bwysig?'

Chwarddodd Barti John eto.

'O'n i'n lwcus gyda'r Pair,' meddai. 'Ar ôl y rhyfel cartre yn Annwfn, cafodd un o gadfridogion y Frenhines Banon bwl o gydwybod, a phenderfynu cael gwared ar y Pair. Llwyddodd i'w symud e i'n byd ni a'i werthu i ryw gasglwr preifat yn America. Pan fuodd hwnnw farw, rhoddodd ei fab e ar eBay! Doedd e ddim yn gwybod beth oedd e, a ches i fe am bris rhesymol iawn.'

'A'r tŵr?' gofynnodd Cadi.

'I gadw porth ar agor rhwng y ddau fyd i fi osod peipen i gasglu'r ynni o Annwfn ar raddfa fawr, mae angen cyflenwad da o fetel deallus. Rhaid creu ffrâm o'r metel hwnnw i gadw'r porth ar agor, ond mae'n rhydu'n sydyn. Felly bydd rhaid newid y metel yn aml: bob mis o leia. Mae gen i ddigon o'r metel i'w gadw ar agor am ddigon o amser i brofi i'r byd ei bod hi'n werth buddsoddi yn y dechnoleg 'ma, ond fydd e ddim yn para am fwy na dau neu dri mis. Felly, dwi wedi taro bargen gyda Tamburlaine a'i griw: fe gawn nhw'r Pair i ddechrau chwyldro a gosod Cêt yn Frenhines Annwfn, os ydyn nhw'n gallu rhoi'r fformiwla i greu metel deallus i fi. Llwyddodd Heledd Bowen i ddwyn papurau Dr ab Einion o'r tŵr, ond roedd hwnnw'n ddigon clyfar i ysgrifennu ei nodiadau mewn cod. Mae Tamburlaine wedi dweud eu bod bron â chracio'r cod, felly cyn bo hir, bydd y fformiwla gen i, bydd y Pair gyda nhw, a bydd Gweriniaeth Annwfn ar ben. Go brin byddwch chi'n mynd yn ôl i'r Ysgol Swynion eto.'

'Ond bydd hi'n rhyfel fel hyn!' meddai Cadi mewn arswyd. 'Bydd pobl yn marw! Allwch chi ddim rhoi'r Pair i'r nytars 'na! Bydd gwaed pobl ar eich dwylo!'

Cododd Barti John ei ysgwyddau.

'Dyn busnes ydw i,' meddai'n ddidaro. 'Dwi wedi taro bargen. Nid fy lle i yw gweud wrth y cwsmer beth all e neud neu beidio neud gyda'r nwydde dwi 'di gwerthu iddo fe. Dim fel'ny mae busnes yn gweithio.'

'Ond so fe'n deg!' llefodd Cadi.

'So bywyd yn deg!' chwyrnodd Barti John.

'Ond, dwi ddim yn dallt,' meddai Mohammed. 'Pam maen nhw wedi cytuno i chi ddraenio'r hud yn y lle cynta? Mae o'n mynd i neud niwed mawr i amgylchedd Annwfn ac, yn y pen draw, niwed i allu'r tylwyth teg i neud swynion a ballu.'

'Ti'n iawn!' meddai Barti John. 'Wedes i wrthyn nhw, wrth gwrs, fydden i'n cymeryd cwota saff o'r ynni na fydde'n neud niwed i'r amgylchedd nac i'r cyflenwad o hud, a llofnodi cytundeb. Ond cwmni Cymreig yw Geotec, a dyw cyfraith Annwfn ddim yn gallu'n stopio ni i neud beth bynnag ni moyn!'

'Chi'n eu twyllo nhw, felly,' meddai Cadi.

'Sai'n lico'r gair "twyllo",' meddai Barti John, 'ond gallet ti weud hynny.'

'Ond dim "ynni gwyrdd" ydi ynni geotechnegol, felly,' meddai Mohammed.

'Fydd e ddim yn niweidio'n hamgylchedd ni,' meddai

Barti John. 'Dyw Llywodraeth Cymru ddim yn credu bod Annwfn yn bodoli. Yn eu llygaid nhw, mae ynni geotechnegol yn wyrddach na gwyrdd! Maen nhw'n mynd i roi grantiau hael i fi. Bydda i'n filiwnydd cyn pen dim!'

'Dach chi'n anghywir,' meddai Mohammed. 'Mae cysylltiad symbiotig rhwng Annwfn a'n byd ni. Mae un yn dibynnu ar y llall. Mae cysylltiad rhwng y tymor fa'ma a'r tymor yn Annwfn. Ac mae hud yn rhan o hynny. Bydd unrhyw sgil-effeithia yn Annwfn yn cael effaith ar y byd yn fa'ma. Mi *fydd* eich cynllun yn niweidio'r amgylchedd yma, *ac* yn Annwfn.'

Cododd Barti John ei ysgwyddau eto.

'Falle bod ti'n iawn,' meddai'n ddidaro. 'Mae'n amlwg bod ti'n fachgen peniog. Ond fydd neb yn gallu profi taw Geotec achosodd y niwed.'

'Mi wna i ddeud wrthyn nhw,' meddai Mohammed.

Chwarddodd Barti John yn uchel.

'Pwy fydd yn dy gredu di? Bachgen ysgol yn parablu am hud a thylwyth teg? Byddan nhw'n meddwl bod ti wedi colli dy bwyll yn llwyr! Nawr, digon o siarad! Mae gen i bethe i neud. Tynnwch eich breichledi!'

Pan oedd Mohammed a Barti John yn siarad, roedd Cadi wedi teimlo rhywun yn plycio wrth ei llawes. Edrychodd i weld bod Tom Jarvis wedi codi cwr y babell a sleifio i mewn drwy'r cefn. Roedd yn cuddio y tu ôl i'r gist fawr bren. Roedd wedi tynnu hudlath o'i siaced, ac roedd wrthi'n ceisio creu swyn o ryw fath. Doedd e ddim yn cael llawer o lwyddiant i ddechrau, ond yn sydyn, wrth i Barti John gamu ymlaen i gymryd eu breichledi, daeth sŵn rhwygo uchel, a llifodd heulwen braf i'r babell. Roedd Tom wedi llwyddo i agor porth i Annwfn!

'Dewch, glou!' gwaeddodd Cadi, gan gydio yn Tractor a Mohammed.

Neidiodd y tri drwy'r porth gyda'i gilydd, gyda Tom yn dynn ar eu sodlau. Cafodd Cadi sioc reit boenus wrth iddi basio o un byd i'r llall y tro hwn. Y funud nesaf, roedd hi mewn llannerch yn y coed yn Annwfn. Gallai weld wyneb syn Barti John trwy'r porth, ond cyn iddo gael amser i ymateb roedd Tom wedi estyn ei law chwith fel petai'n cau llen, ac fe ddiflannodd Barti o'r golwg gyda chlec fyddarol. Yna roedd tawelwch, ac eithrio trydar yr adar arallfydol. Edrychodd y pedwar plentyn ar ei gilydd. Roedden nhw yng nghanol coedwig drwchus, a'r haul yn tywynnu trwy'r dail.

'Diolch, Tom,' meddai Tractor.

17

Yr Helgwn

'**W**AW, TOM!' MEDDAI Mohammed, ei lygaid yn sgleinio. 'Roedd hynna'n anhygoel! Lle ddysgest ti sut i neud hynny?'

Cochodd Tom.

'Ym, ges i wersi ecstra gyda Mr Penfras,' meddai.

'Achos bo' fe'n meddwl bod ti ar ochr y Cacwn, ife?' gofynnodd Tractor.

Nodiodd Tom.

'Wel, sdim ots am hynny, nawr,' meddai Cadi. 'Ti'n arwr!'

Aeth Tom hyd yn oed yn gochach. Erbyn hyn, roedd ei wyneb yr un lliw â betysen. Mwmialodd rywbeth dan ei wynt.

'Wff, mae hi'n boeth 'ma,' meddai Mohammed gan dynnu ei got a'i siwmper.

Tynnodd y merched eu cotiau, hetiau a sgarffiau hefyd, a'u pentyrru yng nghanol y llannerch. Tom oedd yr unig un nad oedd yn rhy boeth yn ei siaced ysgafn.

'Iawn 'te,' meddai Cadi. 'Rhaid i ni ffeindo Cadi Ddu.'

'Dwi'n credu byddan nhw'n mynd â hi i Gaerddulas,' meddai Tom. 'Mae Cacwn Cêt wedi symud yn ôl i'r palas yna. Dyna lle mae eu pencadlys nhw.'

'Awn ni i Gaerddulas 'te,' meddai Tractor.

'Ond mae 'na broblem arall,' meddai Cadi. 'Ble'n union ydyn ni?'

'Cwestiwn da,' meddai Mohammed, gan edrych o'i gwmpas.

Doedd dim ond coed i bob cyfeiriad. Roedd y llannerch wedi'i chreu gan gwymp coeden fawr oedd wedi rhwygo twll clytiog yn y fforest uwchben. Gorweddai'r goeden ar ei hyd, yn pydru yng nghanol llanast o fân ganghennau a brigau oedd wedi torri'n rhydd pan fwrodd y ddaear, rhai misoedd yn ôl, yn un o stormydd y gaeaf. Yn nadreddu trwy'r we o goed marw roedd brigau'n estyn am y golau uwchben. Dringodd Mohammed ar ben boncyff y goeden i gael gwell golwg ar bethau, ond ysgydwodd ei ben. Doedd dim unrhyw beth i roi cliw lle roedden nhw. Suddodd calon Cadi. Roedden nhw ar goll yn y coed, heb ddim syniad o gwbl sut i gyrraedd Caerddulas.

Yn sydyn, daeth sŵn fel su piffgi blin ac yna clec uchel. Neidiodd pawb fel un. Gwelodd Cadi fod saeth â phlu coch a du ym moncyff yr hen goeden, ychydig fodfeddi yn unig o droed Mohammed. Roedd yn dal i grynu. Edrychodd y tu ôl iddi. Ar ymyl y llannerch safai tylwythyn teg tal, yn gwisgo clogyn o blu. Roedd ei wallt yn hir ac yn llaes, a'i groen wedi'i liwio'n frown gan yr heulwen. Yn ei ddwylo roedd bwa hir â saeth arall ar y llinyn yn barod i'w ollwng. Syllodd arnyn nhw â llygaid gwyrdd. Cofiodd Cadi stori Heledd am y saethau gwenwynig a'r penglogau.

'*Insa*,' meddai Mohammed, gan ddangos ei ddwylo, '*insa kha esi.*'

'*Kefi eses? Kefi ores iki?*' cyfarthodd y tylwythyn.

'*Sakhla esi*,' meddai Mohammed. '*Sakhla gubli gubli.*'

Edrychodd y tylwythyn arno am ennyd, yna chwerthin a gostwng ei fwa.

'*Siko!* Croeso!' meddai.

Trodd a galw i'r tywyllwch o dan y coed.

'*Endili! O-kheso!*'

Allan o'r coed daeth bachgen main, tua'r un oedran â Cadi a'i ffrindiau. Roedd hefyd yn gwisgo clogyn plu, ac roedd ei wyneb mor debyg i wyneb y tylwythyn mawr fel nad oedd unrhyw amheuaeth nad ei dad oedd hwnnw. Siaradodd y ddau yn isel am funud yn Annyfneg, yna camodd y bachgen ymlaen gyda golwg nerfus ar ei wyneb, a chlirio ei lwnc.

'Ym, dydd da,' meddai. 'Fy enw i ydyw Endil. Nid ydyw fy nhad yn siarad Cymraeg. Sut ydych chwi?'

Siaradai'n araf iawn, fel petai'n meddwl am bob gair.

'Iawn, diolch, Endil,' meddai Cadi. 'Cadi ydw i, a

dyma Mohammed, Tractor a Tom. Rydyn ni ar goll. Alli di ddweud wrthon ni ble ydyn ni, a sut i gyrraedd Caerddulas?'

'Nid ydym yn bell o'r ffordd sy'n arwain allan o'r fforest i Gaerddulas,' meddai Endil.

Trodd i siarad â'i dad am ennyd. Yna dwedodd wrth y plant:

'Gallaf eich hebrwng i'r ffordd...'

Torrodd ei dad ar ei draws.

'Mae fy nhad yn gofyn beth ydyw'ch neges yng Nghaerddulas?' meddai Endil, ar ôl gwrando'n astud ar yr hyn roedd gan ei dad i'w ddweud.

Edrychodd y pedwar plentyn ar ei gilydd. Beth ddylen nhw ddweud? Doedden nhw ddim yn gwybod a oedd tylwyth teg y fforest ar ochr Cacwn Cêt neu ddim. Penderfynodd Cadi y byddai'n dweud y gwir, neu rywbeth agos ato, ond peidio â chrybwyll enwau.

'Mae'n ffrind ni wedi cael ei herwgipio,' meddai. 'Ni'n meddwl ei bod hi'n cael ei dal yng Nghaerddulas. Ni'n mynd i'w hachub hi.'

Cyfieithodd Endil hyn oll i'w dad. Nodiodd ei dad ei ben, a'i ateb.

'Mae'n dymuno pob llwyddiant i chwi,' meddai Endil. 'Dewch! Mi ddangosaf y ffordd.'

Trodd ar ei sawdl heb air arall, a diflannu i'r coed. Cododd y plant law ar ei dad yn ddiolchgar, a brysio ar ei ôl cyn colli golwg arno yn y tyfiant trwchus. Roedd y daith trwy'r coed yn anodd. Aeth Endil yn gyflym ac yn rhwydd ar hyd llwybrau na allai'r plant eraill eu gweld o gwbl, bron. Roedden nhw'n baglu dros foncyffion oedd yn gorwedd o dan garped o hen ddail pwdwr, a chawson nhw eu dal gan fieri a drysi. Er eu bod wedi gadael eu dillad trymaf mewn pentwr yn y llannerch, roedden nhw'n dal yn rhy boeth, a chyn hir roedd pob un yn domen o chwys. Roedd bochau Tractor mor goch fel y gallai ffrio wy arnyn nhw, meddyliodd Cadi. Ond o'r diwedd dyma gyrraedd y llwybr llydan roedden nhw wedi'i ddilyn fisoedd ynghynt pan oedden nhw wedi ymweld â'r tylwyth teg yn y tai pen coed.

'Dyna chwi,' meddai Endil.

Diolchodd y plant iddo yn wresog, a diflannodd Endil i'r fforest. Erbyn hyn, roedd hi ymhell ar ôl hanner dydd, yn ôl lleoliad yr haul yn yr awyr. Roedd y plant bron â llwgu. Roedd brechdanau Cadi a Mohammed ym mag Mohammed, ond roedd Tractor wedi gadael ei bwyd hi ar y bws, a doedd Tom ddim wedi dod â bwyd yn y lle cyntaf. Rhannon nhw'r ddau becyn o frechdanau rhwng y pedwar, a hel ychydig o fafon gwyllt o'r llwyni. Yna, dechreuon nhw gerdded ar hyd yr heol i gyfeiriad Caerddulas. Doedd ganddyn nhw ddim unrhyw syniad pa mor bell y byddai'n rhaid cerdded. Roedden nhw wedi holi Endil ond doedd e ddim fel petai'n gwybod. Doedd e erioed wedi mynd mor bell â Chaerddulas yn ei fywyd, meddai.

Felly, doedd dim amdani ond cerdded a cherdded, nes bod eu coesau'n blino a'u traed yn brifo. Rhaid cael seibiant byr bob hyn a hyn, ond roedd Cadi'n awyddus i gyrraedd Caerddulas mor fuan â phosib er mwyn achub Cadi Ddu, felly doedd hi ddim yn fodlon gorffwys am ormod o amser. Roedd hi'n dal yn boeth, er y gallen nhw gerdded yng nghysgod y coed, a grogai dros y llwybr o'r ddwy ochr, gan greu twnnel mewn mannau. Dilynwyd y plant gan gymylau o bryfed bach oedd yn eu pigo'n ddi-baid. Ond o'r diwedd, daethon nhw allan o'r fforest a gweld y tir llydan yn agor o'u blaenau. Erbyn hyn, roedd yr haul yn suddo tua'r gorwel yn y gorllewin y tu ôl iddyn nhw, ac roedd eu cysgodion yn ymestyn yn hir o'u blaenau fel cysgodion cewri. Roedd cymylau piws tywyll yn cronni yn yr awyr ac awel yn siffrwd yn nail y coed mawr bob ochr i'r heol. Nid llwybr oedd yno erbyn hyn chwaith, ond ffordd go iawn, gydag arwyneb o gerrig gwastad, a chloddiau ar bob ochr. Yn sydyn, daeth sŵn a gododd y blew ar eu gwar: rhyw fath o udo yn y pellter.

'Beth yn y byd oedd hwnna?' gofynnodd Tractor yn nerfus.

'Swnio fatha blaidd!' meddai Mohammed.

'Oes bleiddiaid yn Annwfn?' gofynnodd Cadi, gan edrych o'i chwmpas mewn braw.

'Oes, dwi'n credu,' meddai Mohammed, 'ond dylen ni fod yn saff. 'Dan ni'n eitha agos i'r dre rŵan.'

Roedd hynny'n wir. Erbyn hyn, roedd ffermydd a thyddynnod i'w gweld bob ochr i'r heol, ac ambell i dylwythyn teg allan yn y caeau gyda phladur neu gribin. Ond roedd hi'n syndod cyn lleied o bobl oedd ar y ffordd. Dim ond dyrnaid o deithwyr roedden nhw wedi'u gweld ers gadael y fforest. Nawr, o'r diwedd, dros dalcen y bryn, roedd tyrau Caerddulas i'w gweld. Pefriai goleuadau yn y ffenestri. Y tu allan i fwthyn bach to gwellt ar ochr y ffordd roedd dynes ganol oed yn cau ieir yn eu cwt.

Daeth yr udo eto, yn nes y tro hwn. Ac yna, sŵn arall: nodau clir corn hela. Cododd y ddynes ei phen, ac yna brysio i mewn i'w thŷ, gan gau'r drws yn glep. Edrychodd Mohammed a Tom ar ei gilydd mewn arswyd.

'Cŵn Annwfn!' meddai'r ddau gyda'i gilydd.

'Beth?' meddai Cadi.

'Helgwn gwyn efo clustia coch,' meddai Mohammed. 'Roedd y teulu brenhinol yn arfar mynd â nhw i'n byd ni i hel pobl, yn yr hen ddyddia. Maen nhw'n fwy fel bleiddiaid na chŵn. Chi'n cofio'r llun yn neuadd yr ysgol? Gwyn ap Nudd a Chŵn Annwfn sydd yno. Well i ni redag!'

Er gwaethaf eu blinder, dechreuodd y pedwar redeg ar hyd y ffordd i gyfeiriad Caerddulas. Yn eu hofn, daethon nhw o hyd i gyflenwad arall o ynni. Gallen nhw glywed y corn eto, a sŵn carnau ceffyl hefyd. Wrth i Cadi edrych yn frysiog dros ei hysgwydd, gallai weld marchog, yn siâp tywyll yn erbyn cysgodion y cloddiau. Cododd ei gorn i'w wefusau unwaith eto, a llifodd y cŵn o'i flaen, yn un don wen. Doedd dim dwywaith eu bod yn ennill tir yn gyflym. Doedd hedfan ddim yn opsiwn, am nad oedd ei hadenydd gyda hi. Doedd hi ddim wedi dychmygu y bore hwnnw y byddai yn Annwfn yn rhedeg am ei bywyd rhag cŵn arallfydol.

Yn sydyn, baglodd Tractor a chwympo ar ei hyd gyda sgrech o boen. Stopiodd Cadi ar unwaith a rhedeg yn ôl ati.

'Cym on, Tractor!' gwaeddodd. 'Coda!'

'Alla i ddim!' griddfanodd Tractor. 'Dwi 'di troi fy migwrn!'

Cydiodd Cadi yn ei braich a cheisio'n ofer ei llusgo i'w thraed.

'Cadi!' gwaeddodd Mohammed.

Trodd Cadi i weld bod y cŵn bron arnyn nhw. Roedd tua chwech ohonyn nhw, bob un bron dwywaith maint Pero, ei chi defaid. Roedd eu cyrff mawr cyhyrog mor wyn â'r eira, a'u clustiau'n goch tywyll fel gwin. Disgleiriai eu llygaid yn goch hefyd, yn goch llachar fel gwaed. Gallai glywed eu sgyrnygu blin a gweld eu dannedd miniog. Y tu ôl iddyn nhw carlamai'r marchog ar geffyl mawr tywyll. Doedd dim dianc. Gwyddai Cadi ei bod hi'n mynd i farw. Roedd yr eiliadau'n hir wrth i'r cŵn ruthro ati, ac roedd ganddi amser i feddwl am ei thad a Sandra, ac am Cadi Ddu druan na châi ei hachub nawr. Ei hunig gysur oedd nad oedd wedi gadael Tractor ar ei phen ei hunan i wynebu'r cŵn hunllefus. Plygodd yn ei chwrcwd dros ei ffrind. Byddai'r ddwy yn marw gyda'i gilydd. Gallai glywed llais yn llafarganu yn rhywle, ond ni thalodd lawer o sylw. Caeodd ei llygaid ac aros am y dannedd ffyrnig.

Ond ddaethon nhw ddim. Agorodd un llygad yn bwyllog, ac yna'r llall. Roedd y cŵn mor agos fel y gallai weld pob blewyn yn glir, ond doedden nhw ddim yn symud bellach. Roedden nhw wedi'u rhewi yn eu hunfan.

18

Y Frenhines

'CADI! TRACTOR!' GWAEDDODD Mohammed. 'Dowch 'laen!'

'B-be ddigwyddodd i'r cŵn?' gofynnodd Cadi'n ddryslyd.

'Tom rewodd nhw, yn union fel gwnaeth Dr ab Einion i mi yn y dosbarth,' meddai Mohammed, gan helpu Cadi i'w thraed. 'Anhygoel! Ond fydd y swyn ddim yn para am byth, felly well i ni symud yn reit handi.'

Taflodd Cadi gip ar y cŵn gwyn a'u clustiau cochion. Roedden nhw wedi'u rhewi wrth ruthro amdani, eu safnau ar agor led y pen. Roedd un ar ganol neidio, ei bawennau yn yr awyr. Y tu ôl iddyn nhw, roedd y marchog hefyd wedi'i rewi, ei gorn hanner ffordd i'w geg.

Roedd Mohammed yn gwneud ei orau i godi Tractor ar ei thraed. Rhuthrodd Cadi i'w helpu, a rhyngddyn nhw, fe lwyddon nhw. Roedd hi'n gwingo mewn poen pan geisiodd roi pwysau ar ei throed dde.

'Dere,' meddai Cadi, 'rho un fraich am fy sgwyddau i a'r llall am sgwyddau Mo.'

Roedd Tractor yn hynod o drwm, ac allen nhw ddim mynd yn gyflym. Roedd Tom braidd yn sigledig. Roedd ei swyn wedi sugno ei ynni, ac roedd ei wyneb yn welw ac yn chwyslyd.

'Get a move on!' hisiodd. 'It won't hold them for long.'

Yna, ychwanegodd yn ymddiheurol:

'Sorry, I'm too knackered to siarad Cymraeg right now.'

'That's alright,' meddai Mohammed, 'I speak the language of the Saxons very well.'

'Ti'n dipyn o ddewin, Tom,' meddai Cadi. 'Hebddot ti bydde Tractor a fi'n fwyd cŵn.'

'Might still happen,' meddai Tom, 'os chi ddim yn brysio. Mae gyda ni five minutes tops cyn iddyn nhw ddod yn fyw eto.'

Dyma'r pedwar, felly, yn gwasgu eu dannedd a hercian yn eu blaenau. Llusgon nhw eu cyrff blinedig dros y bont garreg i Gaerddulas. Ar ben arall y bont roedd yna gatiau praff, oedd yn dal ar agor, diolch i'r drefn. Eisteddodd gwarchodwr mewn cwt bach i'r naill ochr, yn darllen llyfr clawr meddal yng ngolau lamp olew. Edrychodd arnyn nhw'n syn.

'Beth ddigwyddodd i chi?' gofynnodd.

Go brin y gallai Cadi siarad erbyn hynny, cymaint oedd ei blinder.

'Cŵn Annwfn,' ebychodd, 'ar y ffordd!'

Neidiodd y gwarchodwr ar ei draed mewn braw.

'Glou!' meddai. 'I mewn â chi!'

Yn syth ar ôl iddyn nhw fynd dros y rhiniog, dechreuodd droi handlen yn ffyrnig, a llithrodd y gatiau ar gau'n esmwyth. Yna rhedodd at gloch fawr bres gerllaw, a'i churo â morthwyl. Ymddangosodd rhagor o warchodwyr o dŷ carreg, a gallai'r plant glywed sŵn traed yn rhedeg o bob cyfeiriad, wrth i ragor o bobl ddod i weld beth oedd yn digwydd. Yn y dryswch, llwyddon nhw i sleifio i ffwrdd i gysgod gyli bach cul gerllaw. Eisteddodd Tractor yn swp ar y llawr, gan riddfan. Sadiodd Tom ei hunan yn erbyn wal.

'Be wnawn ni rŵan?' meddai Mohammed.

'Wel,' meddai Cadi, 'dyw Tractor na Tom ddim yn gallu mynd i unman, a bydd rhaid i rywun aros i edrych ar eu holau nhw. Felly aros di fan hyn, ac af i mlaen i'r palas i ffeindio Cadi Ddu.'

'Mae'n rhy beryglus i ti,' meddai Mohammed. 'Mi a' i.'

'Be?' meddai Cadi'n bigog. 'Ti'n meddwl alla i ddim neud e achos bo' fi'n ferch?'

'Na,' meddai Mohammed gan gochi, 'wrth gwrs ddim. Dwi ddim isio i chdi gael dolur, 'na i gyd.'

'Ti'n *sweet*, Mo,' meddai Cadi, 'ond bydda i'n iawn.' Edrychodd i fyny i gyfeiriad y palas. 'Piti bod dim adenydd 'da fi...,' ychwanegodd dan ei gwynt.

'Gen i adenydd,' meddai Mohammed, gan chwilio yn ei fag. 'Galli di fenthyg nhw.'

Estynnodd y pecyn i Cadi.

'Diolch, Mo, ti werth y byd,' meddai hi'n frysiog, gan stwffio'r adenydd i'w phoced. 'Edrych ar ôl y lleill!'

'Cymer ofal, Cadi,' meddai fe.

'Pob lwc!' meddai Tractor.

'Dwi'n dod gyda ti,' meddai Tom, ei wyneb yn welw. 'Ti ddim yn mynd ar dy ben dy hun. Dwi'n gallu helpu.'

Ceisiodd sefyll, ond plygodd ei goesau odano, ac roedd rhaid iddo bwyso'n erbyn y wal eto.

'Dwi'n gwbod, Tom,' meddai Cadi. 'Ti yw'r gorau gyda swynion a phethe. Ond ti 'di neud digon yn barod. Ti 'di achub fy mywyd unwaith heno! Aros di fan hyn i adennill dy nerth. Falle bydd dy angen di arna i eto, cyn bo hir.'

Nodiodd Tom. Roedd e'n gwybod ei bod hi'n iawn. Cododd Cadi ei llaw arnyn nhw a throi i gyfeiriad y palas. Rhedodd trwy'r strydoedd cul, ei thraed yn atseinio ar y cobls. Roedd y dref bron yn wag. Roedd y tyrfeydd yn ymgasglu ger y waliau i aros am Gŵn Annwfn. Ond roedd Cadi ar drywydd Cacwn. Roedd hi wedi cyrraedd rhan ucha'r dref erbyn hyn, ac roedd y strydoedd cul wedi ildio i sgwariau agored, a pharciau gwyrdd gyda choed tal urddasol bob ochr i'r palmentydd llyfn. Roedd y tai'n fawreddog ac yn lliwgar, ac roedd ambell do wedi ei wneud o blu yn y dull traddodiadol. Erbyn hyn, roedd Cadi'n ymladd am ei gwynt. Roedd y strydoedd yn serth ac roedd hi eisoes wedi blino'n lân. Edrychai'r palas yn dywyll ac yn ddigroeso, ond roedd ganddi syniad bod yna lygaid yn ei gwylio o'r ffenestri du.

Cyn hir, safai mewn sgwâr llydan o flaen y palas. Roedd ffynnon yn y canol, a cherfluniau o frenhinoedd a breninesau'r gorffennol yn sefyll yn falch o gwmpas yr ymylon. Roedden nhw'n disgleirio yn euraidd yng ngolau'r lampau stryd, ond wrth i Cadi ddod yn nes, gwelodd ôl traul arnyn nhw. Roedd ambell un wedi colli llaw, neu drwyn. Roedd rhai wedi sgrifennu graffiti ar eraill. Roedd y rhan fwyaf yn Annyfneg, ond roedd yr ychydig o Gymraeg yn ddigon anweddus. Edrychodd Cadi ar y frenhines agosaf a gweld tyllau yn ei phen lle dylai ei llygaid fod: tybiai fod ganddi lygaid o gerrig gwerthfawr ar un adeg, a bod rhywun wedi'u dwyn.

Yn ymwybodol o'r ffenestri oedd yn edrych dros y sgwâr, cripiodd Cadi i gysgod y cerflun. Dechreuodd sleifio o un cysgod i'r llall yn nes at y palas. Wrth iddi ddynesu, gallai weld bod estyll pren wedi'u hoelio ar draws y prif ddrws. Doedd neb wedi mynd trwy hwnnw'n ddiweddar. Rhaid bod ffordd arall i mewn, os oedd Tom yn iawn, a bod y Cacwn wedi dychwelyd i'r palas.

Ond beth petai Tom yn anghywir? Neu'n dweud celwydd? Oedd hynny'n bosibl? Tri mis yn ôl, fyddai hi byth wedi ymddiried ynddo. Ond roedd wedi'u hachub rhag Barti John a Chŵn Annwfn mewn un diwrnod. Allai ddim credu y byddai e'n eu bradychu. Ond eto i gyd, doedd dim fel petai'r un enaid byw yn y palas.

Yn sydyn, daliwyd ei llygad gan rywbeth yn symud y tu ôl i ffenest yn un o'r tyrau: fflach o olau gwelw, fel petai rhywun yn cerdded gyda channwyll neu dortsh. Edrychodd eto, ond welodd hi ddim byd y tro hwn. Ai dychmygu'r cyfan wnaeth hi? Nage! Dyna fe eto. Llamodd ei chalon. Roedd rhywun yno. A golygai hynny fod siawns go lew fod Cadi rhywle yn yr adeilad. Roedd rhaid iddi ddod o hyd i ffordd o fynd i mewn. Wrth edrych i fyny, gwelodd yn sydyn nad oedd gwydr yn un o'r ffenestri heb fod yn bell o'r tŵr lle roedd wedi gweld y golau. Roedd hi'n siŵr y byddai'r ffenest yn ddigon mawr iddi wasgu trwyddi. Tynnodd adenydd Mohammed o'i phoced, a'u taro rhwng ei hysgwyddau. Teimlodd yr hen deimlad coslyd cyfarwydd wrth iddyn nhw dyfu. Cododd i'r awyr ar unwaith, gan geisio cadw allan o olwg y tŵr lle roedd hi wedi gweld y golau. Roedd hi wedi bod yn chwysu ar ôl rhedeg trwy strydoedd Caerddulas, ac roedd teimlo'r awel ffres ar ei hwyneb yn braf. Cyrhaeddodd y ffenest mewn dim o dro, a dringo'n ofalus iawn trwyddi. Cafodd ei hunan yn sefyll mewn ystafell fechan dywyll yn llawn dwst a gwe pry cop. Roedd hi yn y palas!

Tynnodd ei hadenydd a'u rhoi yn ei phoced. Yno

croesodd yn sydyn i'r drws a gwrando. Doedd dim siw na miw. Estynnodd am fwlyn y drws a'i droi'n ofalus. Tynnodd yn galed ac agorodd y drws gyda sgrech uchel a atseiniodd trwy'r coridorau gwag. Neidiodd Cadi'n ôl i'r cysgodion ac aros yn gwbl lonydd gan wrando'n ofalus am unrhyw arwydd bod rhywun wedi clywed y twrw. Roedd ei chalon yn curo'n wyllt, a dafnau o chwys ar ei thalcen. Ond chlywodd hi ddim smic. Ar ôl yr hyn a deimlai fel oes iddi, magodd ddigon o blwc i gripian ar flaenau ei thraed ar draws yr ystafell at y drws eto. Llithrodd trwy'r bwlch ac allan i'r coridor. Erbyn hyn, roedd y lleuad wedi codi, a gorweddai stribedi o olau gwelw ar draws y coridor o dan y ffenestri. Rhyngddyn nhw roedd y cysgodion mor ddu ag inc. Trodd Cadi i gyfeiriad y tŵr lle roedd wedi gweld y golau. Doedd ganddi ddim syniad beth i'w wneud ar ôl cyrraedd yno.

'Wna i feddwl am rywbeth,' dwedodd wrthi hi ei hunan.

Rhedodd yn sydyn trwy'r golau i'r cysgod yr ochr draw. Yna stopiodd am ennyd cyn croesi'r stribedyn nesaf o olau lleuad yn yr un ffordd. O'r diwedd, cyrhaeddodd ddrws arall. Roedd hi'n weddol siŵr y byddai'r drws hwn yn ei harwain i'r tŵr cywir. Tynnodd anadl ddofn a throi'r bwlyn. Agorodd yn dawelach na'r llall, diolch i'r drefn, a chamodd Cadi trwyddo'n bwyllog gan edrych o'i chwmpas. Roedd hi'n dywyllach yma nag yn y coridor, ond daeth ychydig o olau lleuad o ffenest gul. Wrth i'w llygaid ddod i arfer â'r gwyll, gwelodd risiau troellog yn mynd i fyny ac i lawr. Pa ffordd ddylai hi fynd?

Wrth iddi sefyll yno, wedi'i dal rhwng dau feddwl, clywodd sŵn bach y tu ôl iddi, a chyn y gallai droi i edrych, cydiodd breichiau cryf ynddi. Roedd rhywun wedi bod yn aros y tu ôl i'r drws amdani!

'Paid â gweiddi na cheisio dianc,' meddai llais dyn yn dawel yn ei chlust, 'a byddi di fyw. Deall?'

Gallai Cadi deimlo rhywbeth oer yn erbyn ei gwddf: llafn cyllell neu gleddyf, siŵr o fod. Nodiodd yn ofalus. Roedd llais y dyn yn gyfarwydd rywsut ond allai Cadi ddim meddwl lle roedd wedi'i glywed o'r blaen.

'Da iawn,' meddai'r dyn. 'Nawr 'te, dere gyda fi. Mae Ei Mawrhydi eisiau dy weld di.'

Gwthiodd Cadi o'i flaen i fyny'r grisiau troellog. O bryd i'w gilydd, prociodd hi'n ysgafn â phig y llafn i'w hatgoffa y gallai ei lladd petai'n ceisio dianc. I fyny ac i fyny yr aethon nhw. O'r diwedd, daethon nhw at ddrws â llinell o olau meddal lliw mêl yn disgleirio odano. Gallai Cadi glywed murmur lleisiau tawel yr ochr arall. Plygodd y dyn ymlaen dros ei hysgwydd a churo'n ysgafn ar y pren dair gwaith. Sylweddolodd yn sydyn mai Tamburlaine oedd e.

'*Eki feles gari?*' gofynnodd llais dynes o'r tu fewn.

'*Eki loko loko,*' meddai Tamburlaine.

Agorodd y drws yn dawel ar ystafell fach, wedi'i goleuo â chanhwyllau. Roedd yno ddyrnaid o bobl, pob un yn gwisgo lifrai du a melyn Cacwn Cêt ac yn cario cleddyf hir. Roedden nhw'n sefyll o gwmpas bwrdd bach oedd wedi ei orchuddio gan fapiau, lluniau, adroddiadau a phapurach o bob math. Yr ochr draw i'r bwrdd, eisteddai dynes hardd mewn siwt lwyd blaen a blows wen. Roedd ei gwallt coch wedi'i glymu'n daclus mewn cynffon ceffyl. Y Frenhines Cêt. Yn y cnawd, roedd y tebygrwydd rhyngddi a Cadi hyd yn oed yn fwy amlwg. Doedd gan Cadi ddim unrhyw amheuaeth mai ei mam oedd o'i blaen.

Gwthiodd Tamburlaine Cadi trwy'r drws a'i dilyn i'r ystafell. Caewyd y drws y tu ôl iddyn nhw. Moesymgrymodd Tamburlaine yn frysiog.

'Eich Mawrhydi,' meddai, 'dyma'r tresbaswr.'

'Cadi!' meddai'r frenhines mewn llais persain. 'Croeso! Dere i eistedd gyda fi. Mae gyda ni lawer i siarad amdano.'

'Oes?' meddai Cadi. 'Dim ond un peth dwi moyn gwbod, sef beth y'ch chi wedi neud â Cadi Ddu?'

'Paid siarad â'i Mawrhydi fel hyn,' chwyrnodd Tamburlaine y tu ôl iddi.

'Mae'n iawn, Tamburlaine,' meddai'r frenhines gan ledu'i dwylo. 'Does dim disgwyl i Cadi fod yn ffurfiol gyda fi.'

Trodd at Cadi.

'Dwi'n deall dy fod yn becso am dy ffrind,' meddai. 'Mae hynny'n naturiol. Mae hi'n iawn. Cei di ei gweld hi cyn bo hir. Ond cyn hynny, rhaid i ni drafod ychydig o bethau. Dere i eistedd.'

Patiodd gadair wrth ei hymyl. Gwthiodd Tamburlaine Cadi i'w chyfeiriad. Aeth hi draw ar goesau sigledig ac eistedd ar y gadair wrth ymyl ei mam. Pwysodd honno drosti a gwthio cudyn o wallt o wyneb Cadi yn dyner.

'O, cariad,' meddai, 'rwyt ti wedi blino'n ofnadwy, on'd wyt ti? Mae'n rhaid bod syched arnat ti hefyd. Tamburlaine, dere â diod i'n gwestai!'

Aeth Tamburlaine allan o'r ystafell. Suddodd Cadi'n ôl i'r gadair. Roedd y frenhines yn iawn: roedd hi wedi blino'n ofnadwy, ac roedd ei choesau a'i thraed yn brifo'n annioddefol. Gallai deimlo dagrau'n cronni yn ei llygaid.

'Ti 'di tyfu cymaint ers i fi dy weld di ddiwetha,' meddai'r frenhines. 'Dim ond babi o't ti – babi bach tew, gyda gwallt oren oedd yn sticio i fyny o hyd fel petaet ti wedi rhoi dy fys yn un o'r pethe 'na... bechingalw?... ym... soced trydan. Ac edrych arnat ti nawr, yn ddynes fach ddewr ac annibynnol. Dwi mor browd ohonot ti!'

Erbyn hyn roedd Tamburlaine wedi dod yn ôl â mygaid o siocled poeth, a stêm yn codi ohono. Teimlai Cadi'n hollol wan, ac yn gysglyd. Mor braf fyddai cwtsio lan gyda'i mam a chael mynd i gysgu yn ei breichiau, fel petai'n fabi bach eto. Gallai glywed oglau ei phersawr. Ond yna cofiodd am bersawr hollol wahanol Sandra, a'i breichiau cynnes: Sandra, a oedd wastad wedi bod yn fam iddi ers iddi fod yn fabi bach tew â gwallt oren. Caledodd ei chalon tuag at y frenhines, a sychodd ei dagrau.

'Pam gadawest ti fi, 'te?' meddai.

'Do'n i ddim eisiau, cariad,' meddai'r frenhines. 'Roedd hi'n ofnadwy i fi adael fy merch, ond roedd rhaid i fi ddod yn ôl. Ro'n i'n hapus iawn yng Nghymru am gyfnod, gyda dy dad a ti, ond dwi ddim yn perthyn yna. Dyma fy lle i, yn arwain fy mhobl; yn adfer hen fawredd Annwfn. Mae lle i ti yma hefyd, wrth fy ochr i. Galli di fod yn dywysoges!'

'Er 'mod i'n "frithgi"?' meddai Cadi'n oeraidd.

'Pwy ddwedodd hynny?' gofynnodd y frenhines. 'Mae hynny'n ofnadwy!'

Rhythodd yn ddig ar bawb yn yr ystafell fel petai'n eu cyhuddo o ddweud y gair erchyll hwnnw. Cododd pob un eu hysgwyddau a mwmial dan eu gwynt, 'Dim fi, Eich Mawrhydi...'

'Wrth gwrs,' meddai'r frenhines wrth droi'n ôl at Cadi, 'alli di ddim bod yn frenhines oherwydd dwyt ti ddim yn dylwythen deg... ym... gyflawn...'

'Ie, brithgi ydw i, mewn geiriau eraill,' meddai Cadi. 'Gwranda! Falle bod rhai merched bach yn dwli ar dywysogesau, ond dwi ddim. Well gen i ferched sy'n cyrraedd y brig oherwydd talent, a dewrder, a dyfalbarhad, na chael eu geni i'r teulu iawn gyda llwy arian yn eu cegau. Ti'n mynd i ddechrau rhyfel arall lle bydd pobl yn marw er mwyn rhoi dy ben ôl ar yr orsedd a ti'n mynd i ddefnyddio'r Pair Dadeni i greu byddin o sombis i ennill. Ac ar ben hynny, ti'n mynd i adael i Barti John lygru Annwfn a draenio'r hud i gyd. Dwi ddim eisie bod yn rhan o hynny!'

'Barti John?' meddai'r frenhines yn ddirmygus. 'Mae'r ffŵl 'na'n credu y bydda i'n gadael iddo fe ddwgyd ein hud ni. Ha! Unwaith iddo fe roi'r Pair i ni, fe wnawn ni ddelio'n iawn ag e! Does dim rhaid i ti boeni am Barti John!'

'Ti'n mynd i'w dwyllo fe?' meddai Cadi.

'Dyw e ddim yn haeddu gwell,' chwyrnodd y frenhines. 'Dim ond meidrolyn barus yw e, wedi'r cyfan. Dyw e'n deall dim am ein byd ni.'

Roedd y sŵn meddal i gyd wedi gadael ei llais erbyn hyn, ac roedd smotiau coch dig ar ei bochau. Agorodd ei cheg i ddweud rhywbeth arall ond y funud honno, clywyd traed tawel ar y grisiau y tu allan, a thair cnoc wrth y drws.

'*Eki feles gari?*' meddai'r frenhines, braidd yn swta y tro hwn.

Sylwodd Cadi nad oedd ei hacen Annyfneg cystal ag un Mohammed. Roedd yn amlwg nad oedd yn gyfforddus yn siarad yr iaith.

'*Eki loko loko,*' daeth yr ateb o'r ochr draw.

Agorodd Tamburlaine y drws, a daeth tylwythyn tal penddu yn lifrai'r Cacwn i mewn. Moesymgrymodd i'r frenhines.

'Mae'r adar bach i gyd yn eu caets, Eich Mawrhydi,' meddai.

'Da iawn,' meddai'r frenhines, gyda gwên greulon. 'Da iawn wir.'

Trodd yn ôl at Cadi.

'Dwi'n siomedig, mae'n rhaid i fi ddweud,' meddai. 'Ro'n i'n meddwl y gallwn i dy berswadio i ymuno â fi, dy fam, a'm helpu i ddyrchafu Annwfn unwaith eto. Ond mae'n amlwg mai gobaith ofer oedd hynny. Mae'r fenyw 'na, Sonia neu beth bynnag yw ei henw hi, wedi gwenwyno dy feddwl gyda'i rwtsh am ferched cryf sy'n codi yn y byd oherwydd talent ac yn y blaen.'

'Sandra yw ei henw hi,' chwyrnodd Cadi, 'a hi yw fy mam i, dim ti!'

Aeth wyneb y frenhines yn welw, a dychwelodd y ddau smotyn coch i'w bochau. Tywyllodd ei llygaid yn ddychrynllyd. Camodd y tylwyth teg eraill yn ôl mewn braw. Ond pan siaradodd eto, roedd ei llais yn dawel.

'Ewch â hi o 'ma! Gall hi ymuno â'r lleill. Fe wna i benderfynu beth i neud â hi yn nes ymlaen. Ar hyn o bryd, mae gen i bethau pwysicach i feddwl amdanyn nhw.'

Cydiodd Tamburlaine yn Cadi a'i llusgo allan o'r ystafell. I lawr y grisiau â nhw drachefn. Ar ôl golau'r canhwyllau yn ystafell y frenhines, roedd y staer yn ddu fel bola buwch, ond roedd hi'n amlwg y gallai Tamburlaine weld lle roedd yn mynd. Bob hyn a hyn, prociai hi'n ysgafn â'i gleddyf unwaith yn rhagor i'w hatgoffa fod ganddo arf. O'r diwedd, cyrhaeddon nhw ddrws derw tew. Mwmialodd Tamburlaine rywbeth dan ei wynt, a chlywodd Cadi gyfres o gliciau wrth i'r clo agor. Gwthiodd Tamburlaine y drws ar agor a thaflu Cadi trwyddo cyn ei gau'n glep eto. Clywodd ei lais yn llafarganu unwaith eto, ac yna gyfres arall o gliciau wrth i'r drws gloi ei hunan y tu ôl iddi. Roedd yr ystafell bron yn hollol dywyll, ac eithrio sleisen denau o olau lleuad a lifai trwy ffenest uchel a chul. Gallai weld siapiau tywyll pobl eraill o'i blaen, ond allai hi ddim eu hadnabod.

'Cadi,' meddai llais cyfarwydd.

'Mohammed!' meddai Cadi. 'Beth wyt ti'n neud yma?'

'Cawson ni'n dal gan y Cacwn,' meddai Mohammed. ''Dan ni i gyd yma. Ac mae rhywun arall 'ma hefyd.'

'Helô, Cadi,' meddai llais Cadi Ddu.

19

Y Frwydr am Annwfn

RHUTHRODD CADI GOCH yn syth at Cadi Ddu a chofleidio ei hen ffrind.

'Cadi!' gwaeddodd. 'Ti'n saff!'

'Wel, sai'n siŵr am hynny, cofia,' meddai Cadi Ddu. 'Dwi wedi cael fy herwgipio gan *mad scientist* a fflipin tylwyth teg, dwi'n styc mewn *dungeon* gyda Tom Jarvis yn Narnia, neu ble bynnag ydyn ni, a nawr ti, oedd i fod i'n achub i, yn cael dy dowlu mewn 'ma hefyd. Ody hynny'n cyfri fel saff?'

'Ocê,' meddai Cadi Goch, 'pwynt teg. Gwranda, Cadi, mae'n ddrwg iawn 'da fi. Fi sy ar fai am hyn i gyd.'

'Cywir,' meddai Cadi Ddu. 'Ond fe wna i faddau i ti y tro 'ma. Ond mae isie i ti neud bach o esbonio. Ysgol swynion? Go iawn? Ddwedest ti ddim gair wrtha i!'

'O'n i isie, ti'n gwbod,' meddai Cadi Goch, 'ond doedd dim hawl 'da fi!'

'Ym...' meddai Mohammed, oedd wedi cynnau pêl olau fel y gallai pawb weld ei gilydd, 'allwch chi neud hyn i gyd nes ymlaen? Rhaid i ni ddianc.'

Nodiodd Cadi Goch.

'Ti'n iawn, Mo,' meddai.

Trodd at Cadi Ddu.

'Gawn ni *catch up* wedyn, dwi'n addo. Weda i bopeth 'thot ti, ocê?'

Cododd Cadi Ddu ei bys bawd arni. Yna trodd Cadi Goch at y lleill, ac yn frysiog, esboniodd beth roedd wedi gwled yn ystafell y frenhines.

'Howld on,' meddai Cadi Ddu, 'dy *fam* sy tu ôl i hyn i gyd? Be, *Sandra*?'

'Nage, y penbwl,' meddai Cadi Goch, 'fy mam go iawn. So hi wedi marw wedi'r cwbwl, jyst yn fath o *supervillain* sy moyn cymryd y byd drosto. Stori hir.'

'Iawn,' meddai Cadi Ddu. 'Anwybyddwch fi! Cariwch mlaen!'

Ar ôl i Cadi Goch orffen ei stori, dwedodd Tractor:

'Ma 'da ni bach o newyddion hefyd. Ti'n gwbod pwy oedd yn y stafell 'ma gyda Cadi Ddu? Dr ab Einion! Pan ddaethon nhw â ni 'ma, aethon nhw ag e mas. Roedd ei ddwylo wedi'u clymu, a gag yn ei geg e, i stopio fe rhag dweud swyn, siŵr o fod.'

'Maen nhw'n mynd i neud iddo fe roi'r fformiwla metel deallus iddyn nhw!' meddai Cadi Goch.

'Yn hollol,' meddai Mohammed. 'Rhaid i ni'u stopio nhw!'

Roedd Tom Jarvis wedi bod yn eistedd yn y cornel yn dawel tra bod y lleill yn siarad. Cododd ar ei draed. Roedd ei wyneb yn welw o hyd, ond roedd golwg gryfach arno.

'Stand back,' meddai, 'dwi'n mynd i geisio agor y drws.'

Dechreuodd lafarganu dan ei wynt. Gwelodd y plant eraill fod golau cochlyd yn cronni yn ei ddwylo, oedd fel cwpan o'i flaen. Llanwyd yr ystafell gan oglau siarp fel cemegyn afiach, ac roedd yr awyr yn clecian. Yn sydyn, cododd Tom y golau cochlyd yn belen dwt a'i thaflu at y drws fel petai'n bowlio mewn gêm o griced. Trawodd y drws â chlec a chawod o wreichion. Roedd y pren wedi'i losgi rywfaint ac yn ddu i gyd, ond roedd y drws yn dal i sefyll. Roedd Tom, ar y llaw arall, wedi'i daflu ar wastad ei gefn ar y llawr. Cododd ar ei eistedd yn araf, gan wingo.

'Mae'r hud ar y drws yn rhy gryf,' meddai gan ysgwyd ei ben mewn rhwystredigaeth.

'Gad hyn i fi,' meddai Tractor.

Gan anwybyddu'r poen yn ei migwrn, rhedodd at y drws a hyrddio ei hunan yn ei erbyn â'i hysgwydd. Roedd yna grac uchel. Safodd yn ôl a hyrddio unwaith eto. Roedd y clo wedi'i achub gan y swyn grymus, ond rhwygwyd y drws o'i golynnau, a diflannodd Tractor trwy'r twll gyda bloedd.

'Ti'n iawn, Tractor?' meddai Cadi Goch yn bryderus.

'Sai'n siŵr,' meddai llais Tractor, yn atseinio yn y twll grisiau. 'Dwi mas o'r stafell beth bynnag!'

'Well i ni fynd,' meddai Cadi Goch, 'rhaid bod rhywun wedi clywed y sŵn!'

'Rhaid i ni fynd am help,' meddai Tom.

'Cytuno mewn ffordd ond…' meddai Mohammed, '… alla i ddim gweld sut. 'Dan ni ddim yn gwybod pwy sy ar eu hochr nhw. Maen nhw wedi dal Dr ab Einion, mae Mr Penfras yn un ohonyn nhw, a does dim pwynt gofyn am help Miss Henwen, bydda hi'n rhedag ar hyd y lle mewn panic, a 'dan ni ddim yn gwybod lle i ffeindio Garwyn na Miss Cilcoed. 'Dan ni ar ein penna'n hunain! Ac mae Cadi'n iawn: byddan nhw am ein penna ni unrhyw funud os 'dan ni ddim yn ei heglu hi'n reit sydyn!'

Aethon nhw i lawr y grisiau. Bydden nhw'n siŵr o gwrdd ag unrhyw un oedd yn dod i weld beth oedd wedi achosi'r twrw petaen nhw'n mynd i fyny. Y syniad oedd i ddod o hyd i rywle tawel a dirgel lle y gallen nhw gynllunio sut i achub Dr ab Einion a rhwystro'r Cacwn. Ond doedd lwc ddim ar eu hochr nhw. Cyrhaeddon nhw gyntedd llydan gyda nifer o ddrysau. Cyn penderfynu pa un i ddewis, agorodd un o'r drysau a daeth Heledd Bowen allan, gyda dyn canol oed boliog â phen moel wrth ei hochr. Roedd eu hwynebau'n edrych yn debyg iawn i'w gilydd, a dyfalai Cadi Goch mai tad Heledd oedd y dyn. Roedd y ddau'n siarad â'i gilydd, a welon nhw mo'r plant i ddechrau. Yna safodd Heledd yn stond, ei cheg ar agor mewn sioc. Rhewodd Cadi Goch a'i ffrindiau. Am funud, roedd tawelwch pur. Yna, dechreuodd Heledd weiddi:

'Help! Help! Mae'r bradwyr wedi dianc!'

Agorodd drws arall, a daeth hanner dwsin o dylwyth teg allan, pob un â chleddyf yn ei law. Edrychodd Cadi Goch o'i chwmpas yn wyllt ond roedd yn amlwg nad oedd ffordd o ddianc. Gallai weld Heledd Bowen yn gwenu arni'n gas.

Yna, gwthiodd ffigur cyfarwydd ei ffordd trwy'r tylwyth teg arfog: Taliesin Penfras yn ei siwt ddrud a'i esgidiau sgleiniog.

'A,' meddai mewn llais esmwyth, 'mae'r carcharorion wedi llwyddo i dorri'n rhydd. Da iawn. Heledd! Mr Bowen! Cerwch chi at Ei Mawrhydi: mae hi'n eich disgwyl chi. Galla i ddelio â'r rhain. Chi!' gan amneidio ar ddau o'r milwyr. 'Cerwch gyda nhw!'

Aeth Heledd a'i thad, a dau o'r milwyr. Arhosodd Mr Penfras nes bod sŵn eu traed wedi tawelu. Roedd yn hollol lonydd, ac allai Cadi Goch ddim darllen yr olwg ar ei wyneb o gwbl. Edrychodd y pedwar milwr oedd ar ôl arno gan aros am orchymyn. Ddaeth dim. Yn sydyn, trodd arnyn nhw, ei freichiau'n chwifio'n wyllt. Saethodd golau oer llachar fel mellt o'i ddwylo, gan daro'r milwyr a'u bwrw i'r llawr. Gorweddon nhw'n swp, heb symud. Roedd oglau mwg yn yr awyr. Sgrechiodd Cadi Ddu mewn braw ond rhoddodd Cadi Goch ei llaw dros ei cheg. Doedd hi ddim yn deall beth oedd yn digwydd ond roedd hi'n bwysig eu bod yn peidio â thynnu rhagor o sylw.

Trodd Mr Penfras atyn nhw.

'Does dim amser i'w golli,' hisiodd mewn llais isel. 'Cerwch allan o'r palas. Fe wna i yrru neges at Miss Cilcoed a gofyn iddi hi ddod i gwrdd â chi yn y dre ar bwys y bont. Byddwch chi'n saff gyda hi.'

'Ond beth am Dr ab Einion?' meddai Cadi Goch.

'Bydda i'n ei achub e, peidiwch â becso,' meddai Mr Penfras.

'Maddeuwch i mi, syr,' meddai Mohammed, 'ond roeddwn i..., wel, roedden ni i gyd yn meddwl eich bod yn un ohonyn *nhw.*'

Chwarddodd Mr Penfras.

'Dim chi oedd yr unig rai!' meddai. 'Syniad yr Athro Garwyn oedd e, i fi esgus ymuno â'r Cacwn er mwyn cadw llygad arnyn nhw. Gwaith peryglus, ond mae wedi gweithio hyd yma.'

'Ydych chi wedi... ym... wedi lladd y milwyr 'ma?' gofynnodd Cadi Goch yn bryderus.

'Na,' meddai Mr Penfras, 'byddan nhw'n iawn mewn cwpl o oriau: ychydig o gleisiau a chrafiadau, dyna i gyd. Nawr 'te, does dim amser i glebran. Rhaid i chi fynd!'

Ond y funud honno, sylwodd Cadi Goch fod un o'r milwyr yn symud.

'Watsiwch, syr!' gwaeddodd, ond yn rhy hwyr.

Roedd y dyn wedi codi ar ei eistedd a thrywanu Mr Penfras yn ei gefn â'i gleddyf. Yn ffodus roedd Mr Penfras wedi dechrau troi i gyfeiriad Cadi Goch pan glywodd ei llais, ac aeth y cleddyf drwy'r cnawd uwchben pen ei glun yn hytrach na thorri ei asgwrn cefn. Doedd e ddim wedi ei ladd, felly, ond roedd wedi'i anafu'n ddifrifol. Syrthiodd yn glewt. Roedd gwaed yn llifo'n rhydd o'r clwyf. Edrychai'n ddu yn y golau gwan. Roedd y tylwythyn arall wedi codi'n sigledig i'w draed a chodi'r cleddyf er mwyn taro Mr Penfras eto. Yn sydyn, roedd yna fflach o olau oer a chwympodd yn anymwybodol i'r llawr. Rhuglodd y cleddyf wrth syrthio o'i fysedd ar y llawr carreg. Agorodd Mr Penfras ei lygaid mewn sioc.

'Pwy...?' crawciodd mewn llais pitw. 'Tom? Sut wyt ti'n medru'r swyn yna? Wnes i ddim dysgu hynny i ti.'

Cododd Tom ei ysgwyddau.

'Jyst gwylio chi, syr,' meddai.

'Wel, diolch. Ti 'di achub fy mywyd. Dwi erioed wedi gweld disgybl cystal...'

'Peidiwch â siarad, syr,' meddai Cadi Goch gan benlinio wrth ei ochr, 'chi wedi'ch brifo'n ofnadw. Chi'n gwaedu dros y lle i gyd!'

'Rhaid stopio'r gwaedu,' meddai Cadi Ddu. 'Dwi'n cofio Mam yn gweud.'

Roedd Mrs Jenkins yn nyrs, ac roedd hi wedi mynnu

bod ei merch yn dysgu cymorth cyntaf. Roedd Cadi Ddu wedi tynnu ei chardigan ac roedd wrthi'n ei rhwygo'n ddarnau.

'Rho rywbeth dan ei ben,' meddai wrth Tom, a ufuddhaodd heb gwestiynu. 'Ma isie gwasgu fan hyn.'

Amneidiodd ar Tractor i ddod draw a dal y clytiau dros glwyf Mr Penfras. Tynnodd Tractor wyneb.

'Sai'n lico gwaed,' meddai.

Ond gwasgodd ar y clytiau, a chyn pen dim roedd ei dwylo'n goch i gyd. Roedd Cadi Ddu'n siarad â Mr Penfras, gan fynnu ei fod yn cadw'n effro. Roedd hi'n swnio'n union fel parafeddyg ar un o'r rhaglenni teledu y byddai Sandra'n eu gwylio, meddyliodd Cadi Goch. Yn y cyfamser roedd Mohammed wedi casglu'r holl gleddyfau a'u taflu allan drwy'r ffenest. Yna clymodd ddwylo'r milwyr anymwybodol â'u gwregysau, fel na allen nhw wneud unrhyw beth petaen nhw'n deffro.

'Be rŵan?' gofynnodd i Cadi Goch.

'Rhaid achub Dr ab Einion,' meddai hi.

Trodd at y lleill.

'Cadi! Tractor! Tom!' meddai. 'Arhoswch gyda Mr Penfras.'

'Ble ti'n mynd?' meddai Cadi Ddu.

'I weld Mam,' meddai Cadi Goch. 'Rhaid i fi gael gair â hi.'

'Bydd yn ofalus!' meddai Cadi Ddu.

'Iawn,' atebodd Cadi Goch. 'Beth bynnag, fydd

Mohammed ddim yn gadael i ddim byd ddigwydd i fi, na fyddi, Mo?'

Gyda hynny, rhedodd am y grisiau, a Mohammed yn dynn wrth ei sodlau. Dringon nhw'n gyflym ond yn dawel. Cyn bo hir, cyrhaeddon nhw ddrws ystafell y frenhines. Gallen nhw weld y stribedyn o olau lliw mêl odano, a chlywed siarad o'r tu fewn. Allen nhw ddim deall y geiriau ond roedd tinc blin i'r lleisiau. Roedd Cadi Goch yn siŵr y gallai adnabod lleisiau ei mam a Dr ab Einion.

'Be nawn ni rŵan?' sisialodd Mohammed.

'Sai'n gwbod,' meddai Cadi Goch. 'Mae'n mynd i fod yn beryglus, cofia. Beth am i ti aros 'ma? Sai'n credu bydd Mam yn gadael iddyn nhw ladd fi, ond sai'n siŵr amdanot ti.'

'Dim ffiars o beryg!' meddai Mohammed. 'Dwi ddim yn mynd i adael i chdi fynd i mewn ar dy ben dy hun!'

Gwenodd Cadi Goch arno, er go brin y gallai Mo weld hynny yn y gwyll.

'Reit,' meddai, 'sgen i ddim plan, ond dy'n nhw ddim yn ein disgwyl ni, felly beth am i ni redeg mewn a gweiddi a gweld be ddigwyddith?'

'Gen i syniad gwell,' meddai Mohammed. 'Ti'n cofio'r swyn mwydro ddaru ni ddysgu efo Mr Penfras?'

'Odw,' meddai Cadi Goch. 'Yr un sy'n creu cwmwl o fwg sy'n dallu pobol eraill, ond mae'r un sy'n neud y swyn yn gallu gweld? Perffaith!'

Cydiodd Mohammed yn llaw Cadi Goch.

'Rhaid i ni neud o efo'n gilydd, neu fydd un ohonon ni'n methu gweld,' meddai.

Dechreuodd y ddau lafarganu gyda'i gilydd. Caeodd Cadi Goch ei llygaid a chanolbwyntio ei meddwl ar amsugno'r ynni o'i chwmpas a'i sianelu. Roedd poen yn dyrnu yn ei phen, a'i choesau'n gwegian odani. Ond yn sydyn, teimlodd rhyw newid ym mhwysau'r awyrgylch: teimlad braf, fel petai rhywbeth wedi clicio i'w le. Agorodd ei llygaid a gweld mwg gwyrdd tywyll yn llifo o'r waliau.

'Ni wedi neud e!' meddai'n orfoleddus.

'Yndan!' meddai Mohammed. 'Reit, i mewn â ni! Un... dau... tri!'

Gwthiodd y drws ar agor a rhedodd y ddau trwyddo, y mwg wedi'i lapio o'u cwmpas fel blanced. Gallai Cadi Goch weld bod Dr ab Einion wedi'i glymu'n dynn wrth gadair. Safai'r frenhines drosto, gyda nifer o'i dilynwyr, Tamburlaine yn eu mysg, y tu ôl iddyn nhw. Roedd y frenhines yn dal darnau o bapur yn un llaw: nodiadau'r Doctor, falle, meddyliodd Cadi. Roedd ei llaw arall yn gwasgu yn erbyn talcen Dr ab Einion. Roedd yn amlwg ei bod wedi bod yn defnyddio hud i geisio dwyn cyfrinach y fformiwlâu a'r cod allan o feddwl y Doctor, a bod y Doctor, hyd yma, wedi ei gwrthsefyll. Roedd ei wyneb yn welw ac roedd diferion o chwys yn rhedeg i lawr ei fochau.

Safai aelodau eraill o Gacwn Cêt, gan gynnwys Heledd Bowen a'i thad, yn bellach i ffwrdd. Sylweddolodd Cadi Goch fod gan un ohonyn nhw gi mawr gwyn â chlustiau cochion ar dennyn. Nhw welodd y mwg gwyrdd yn dod trwy'r drws gyntaf, a gweiddi mewn sioc. Ar unwaith roedd yna anhrefn. Dechreuodd y ci udo'n wyllt. Rhedodd Cadi Goch, dan y mwg, yn syth am y frenhines, a llwyddo i gipio'r papurau o'i llaw cyn y gallai ymateb. Rhuodd y frenhines mewn cynddaredd.

'Swyn mwydro yw e!' gwaeddodd Tamburlaine, a dechrau symud ei ddwylo a mwmial gwrth-swyn.

Yn syth, dechreuodd y mwg deneuo. Rhedodd Mohammed am Tamburlaine a'i lorio â thacl rygbi y byddai Liam Williams yn browd ohoni. Ond yna, gollyngwyd y ci yn rhydd. Doedd dim rhaid i hwnnw weld ei brae; roedd ei drwyn yn ddigon sensitif i'w ganfod yn y niwl. Neidiodd at Mohammed ond llwyddodd hwnnw i gydio mewn cadair i'w amddiffyn ei hunan. Cododd Tamburlaine ar ei draed ac ailgydio yn ei swyn.

'Stop!' gwaeddodd Cadi Goch.

Wrth i'r mwg glirio gallai pawb weld ei bod yn dal cannwyll yn agos iawn at bapurau Dr ab Einion. Roedd ei bysedd yn crynu ond roedd golwg benderfynol iawn ar ei hwyneb.

'Galwch y ci'n ôl!' gwaeddodd Cadi. 'Neu bydda i'n llosgi rhain!'

'Mot!' meddai'r tylwythyn teg oedd wedi bod yn dal tennyn y ci, a sleifiodd hwnnw'n ôl ato, gan chwyrnu'n isel.

Cododd Mohammed yn sigledig i'w draed. Roedd un o'i ddwylo'n gwaedu.

'Nawr 'te, Cadi,' meddai'r frenhines, gan geisio'n aflwyddiannus i gadw'r dicter o'i llais, 'rho'r gannwyll i lawr. Gallwn ni siarad am hyn yn gall. Does dim rhaid i ni neud unrhyw beth byddwn ni'n difaru. Galli...'

'Llosga nhw!' gwaeddodd Dr ab Einion, gan dorri ar ei thraws.

Edrychodd Cadi arno'n syn.

'Llosga nhw!' gwaeddodd unwaith eto. 'Rhaid i ti!'

Curodd y frenhines ef yn ei geg â chefn ei llaw.

'Ca dy ben, yr hen ffŵl!' hisiodd.

Roedd gwaed yn llifo o geg y Doctor lle roedd wedi'i daro. Roedd hyn yn ddigon i Cadi. Daliodd y fflam at gornel un o'r papurau. Roedden nhw'n sych grimp ar ôl cael eu cadw mewn cist yn y tŵr ers blynyddoedd mawr, a neidiodd y tân yn farus i'w llosgi. Gollyngodd Cadi nhw wrth i'r fflamau losgi ei bysedd, a chwympon nhw i'r llawr gan dasgu gwreichion dros y lle. Glaniodd sgrepyn o bapur tanllyd ar y bwrdd oedd wedi'i orchuddio â phapurach, a dyma'r tân yn cydio ac yn dechrau lledu dros y bwrdd. Aeth y gwarchodwyr ati fel lladd nadredd i geisio ei ddiffodd gyda swynion neu trwy guro'r fflamau â'u dillad. Roedd y ci'n cyfarth yn wyllt yn ei fraw. Llanwodd yr ystafell â mwg a frifai eu llygaid a thagu eu gyddfau. Rhedodd y frenhines am Cadi Goch, ei llygaid yn fflachio. Ond y funud honno, clywyd sŵn traed ar y grisiau, a byrstiodd hanner dwsin o dylwyth teg yng ngwisg Gwarchodlu Gweriniaeth Annwfn i mewn i'r ystafell. Y tu ôl iddyn nhw, gallai Cadi Goch weld yr Athro Garwyn a Miss Cilcoed mewn gŵn wisgo goch tywyll.

Yn fuan iawn, roedd y rhan fwyaf o Gacwn Cêt wedi ildio. Ond nid y frenhines ei hunan. Rhedodd yn syth am y ffenest a neidio trwyddi. Rhedodd Cadi Goch ar ei hôl mewn braw, gan disgwyl gweld corff ei mam yn gorwedd ar y llawr ymhell oddi tani. Ond welodd hi ddim ond tylluan wen yn hedfan i ffwrdd i'r nos.

20

Y Pair Dadeni

ER I'R FRENHINES ddianc o'r tŵr, roedd y Gwarchodlu wedi llwyddo i arestio nifer o arweinwyr Cacwn Cêt, gan gynnwys Tamburlaine a thad Heledd. Roedd Heledd yn rhy ifanc i gael ei harestio. Daeth Miss Henwen i edrych ar ei hôl nes ei bod yn gallu mynd yn ôl at ei mam yng Nghaerdydd. Roedd Miss Olwen hefyd wedi'i galw i'r palas ar frys i dendio ar Mr Penfras. Dwedodd y byddai fyw, diolch i'r cymorth cyntaf roedd Cadi Ddu wedi'i roi iddo. Roedd wedi colli llawer o waed ond doedd yr anaf ddim yn rhy ddifrifol.

'Cael a chael oedd hi,' meddai Miss Olwen. 'Lwcus iawn bod rhywun yna oedd yn gwybod beth i'w wneud.'

Gwridodd Cadi Ddu a gwenu'n swil. Y funud honno, daeth yr Athro Garwyn i mewn i'r ystafell lle roedd y plant wedi ymgasglu. Sylweddolodd Cadi Goch ei fod yn gwisgo pyjamas streipiog o dan ei glogyn plu. Y tu ôl iddo roedd Dr ab Einion, ei wyneb yn llwyd, ei ychydig wallt yn flêr, a staen gwaed ar ei wasgod werdd dywyll.

'Wel, blantos,' meddai'r Athro ar ôl syllu ar bob un yn ei dro â'i unig lygad, 'rydym yn ddyledus i chi. Hebddoch chi, byddai rhyfel wedi bod yn y wlad unwaith eto. Rydych chi wedi dangos dewrder, clyfrwch, doniau hud a lledrith a ffyddlondeb, ac rwy'n browd iawn ohonoch chi.'

Yna, roedd Dr ab Einion wedi camu ymlaen.

'Ym...' meddai wrth Cadi Goch, 'mae'n ddrwg iawn gen i, Cadi, am dy amau di. Dwyt ti ddim fel dy fam o gwbl. Mae hi'n wyddonydd penigamp, wrth gwrs, yn dalentog iawn, ond mae gen ti rywbeth pwysicach, sef y gallu i wneud y peth iawn, hyd yn oed pan fydd hynny'n anodd ac yn beryglus. Allai Gwen byth wneud hynny. Gobeithio y byddi di'n maddau i fi!'

'Wrth gwrs!' meddai Cadi Goch. 'Ond, Doctor, y fformiwlâu ar gyfer metel deallus! Maen nhw wedi'u llosgi.'

Gwenodd y Doctor, a thapio ei ben â'i fys.

'Paid â phoeni,' meddai, 'mae popeth yn dal i mewn fan hyn! Cadwais i'r papurau rhag ofn, ond dwi ddim wedi anghofio dim. Dylai Gwen fod wedi gwybod hynny, ond mae ei meddwl wedi'i gymylu gan ei chwant am rym. Ceisio dwyn cyfrinach y cod o 'mhen roedd hi: wnaeth hi ddim hyd yn oed meddwl y byddai'r fformiwlâu yno!'

'Bydd amser am ragor o esboniadau'n nes ymlaen,' meddai'r Athro Garwyn, 'ond nawr, mae'n rhaid i ni fynd â chi'n ôl i'ch byd eich hunain. Mae'ch rhieni'n poeni'n ofnadwy erbyn hyn, mae'n siŵr. Mae Miss Cilcoed wedi mynd i wisgo – hi fydd yn mynd â chi. Ond cyn i chi fynd, hoffwn i gael gair bach preifat â Miss Jenkins.'

'Fi?' meddai Cadi Ddu mewn penbleth.

'Ie,' meddai'r Athro. 'Dere gyda fi, os gweli di'n dda.'

A bant â'r ddau i ystafell gyfagos.

'Beth oedd e moyn?' gofynnodd Cadi Goch yn eiddgar, pan ddaeth ei ffrind yn ei hôl.

Roedd Cadi Ddu'n gwenu fel gât.

'Ma fe wedi cynnig lle i fi yn yr Academi,' meddai. 'Wedodd e bo' fe'n gwbod bo' fi ddim yn hapus yn yr ysgol newydd. Sai'n siŵr shwt: sai wedi gweud wrth neb, dim Mam hyd yn oed. So fe'n rhy ddrwg, mewn gwirionedd, ond sdim ffrindie go iawn gyda fi yno. Bydde'n well 'da fi fod yma gyda ti a dy gang. Hyd yn oed Tom Jarvis! Felly, os yw Mam a Dad yn cytuno, bydda i gyda ti ar ôl y Pasg!'

Yn sydyn, edrychai'n ofidus.

'Ti ddim yn meindio, wyt ti? Ma 'da ti ffrindie newydd nawr.'

'Wrth gwrs ddim, y penbwl!' meddai Cadi Goch, gan daflu ei breichiau am wddf ei ffrind.

Yna, roedden nhw wedi teithio'n ôl i Gymru gyda Miss Cilcoed i safle Geotec ar bwys Arberth. Roedd y lle

yn ferw gwyllt. Roedden nhw wedi bod ar goll ers dros
bedair awr ar hugain. Roedd heddlu, newyddiadurwyr a
chamerâu teledu dros y lle i gyd. Roedd Barti John wedi
cael ei arestio ar amheuaeth o herwgipio, am fod rhywun
wedi'i weld gyda Cadi Ddu. Synnwyd pawb pan welson
nhw'r plant, yn gleisiau i gyd, eu dillad yn garpiog ac
wedi'u staenio â gwaed, yn hercian atyn nhw. Cadwodd
Miss Cilcoed o'r golwg, a diflannu'n ôl trwy'r porth ar
ôl iddi weld eu bod yn ddiogel. Roedd hi wedi dyfeisio
stori iddyn nhw ei dweud wrth eu rhieni a'r heddlu, sef
eu bod wedi llwyddo i ddianc rhag dynion Barti John a
chuddio mewn hen sgubor, cyn cripian yn ôl. Doedd yr
heddlu ddim yn credu'r stori o gwbl i ddechrau, am eu
bod wedi archwilio'r sgubor heb ffeindio dim, ond allen
nhw ddim cynnig esboniad arall. Roedd y teuluoedd yn
rhy hapus i'w gweld nhw i ofyn cwestiynau.

★★★

'Wel,' meddai Cadi Ddu, 'am gyffro!'

Roedd y ddwy Cadi'n eistedd ar wely Cadi Goch.
Roedd gwynt a glaw yn hyrddio'n erbyn y ffenest, ac er
ei bod yn dal yn weddol gynnar yn y prynhawn, roedd
y lamp ynghyn yn yr ystafell. Edrychai Cadi Goch ar ei
theganau a'i llyfrau a'r lluniau roedd hi wedi'u peintio yn
ei hen ysgol. Roedd popeth mor normal, mor gysurus.
Roedd hi'n anodd credu ei bod hi, wythnos yn ôl, wedi

achub Annwfn rhag rhyfel, ac wedi rhwystro cynllun Barti John i ddraenio'r wlad o'i hud.

'Ie,' meddai Cadi Goch, 'am gyffro!'

Y funud honno, byrstiodd Gethin i mewn i'r ystafell heb gnocio, yn ôl ei arfer.

'Chi ar y teledu eto!' meddai.

Aeth y ddwy Cadi i lawr staer, a dyna lle roedden nhw unwaith eto ar y sgrin, yn welw ac yn flêr, yn cael eu harwain i ddiogelwch gan yr heddlu. Roedden nhw wedi gweld y lluniau sawl gwaith erbyn hynny.

'Ac mae tro annisgwyl yng nghynffon y stori,' meddai'r gyflwynwraig. 'Daeth yr heddlu o hyd i grochan hynafol ar safle Geotec ar bwys Arberth, lle cafodd y plant eu herwgipio ddydd Sadwrn. Does neb yn gwybod o ble ddaeth e, na pham ei fod ar y safle, ond mae arbenigwyr yn dweud ei fod yn debygol o ddyddio yn ôl i Oes yr Haearn. Mae'r Gweinidog Treftadaeth wedi cyhoeddi ei fod yn drysor cenedlaethol ac y bydd yn cael ei gadw yn Amgueddfa Caerdydd...'

'O wel, dyle fe fod yn saff fan 'na!' meddai Cadi Goch.

'Be?' meddai Gethin.

'Dim byd!' meddai Cadi Goch yn frysiog.

Yna daeth Shiny i'r lolfa.

'Dwi newydd fod ar y ffôn â Mrs Jarvis,' meddai, gan ysgwyd ei ben. 'Mae hi'n gandryll: doedd hi ddim hyd yn oed yn gwbod bod Tom wedi dod i Arberth. Roedd y diawl bach wedi 'nhwyllo i. A chi'n gwbod beth arall wedodd hi? "He's turned into a real Welshie since he started going to that new school. Hardly a word of English out of him"!'

Chwarddodd yn galonnog.

'Os felly, dwi'n fodlon maddau iddo fe! Ta waeth, mae hi'n cael digon o iawndal gan gwmni Geotec, ac mae hi wedi gwerthu ei stori i'r papurau, felly dyw hi ddim yn cwyno gormod.'

'Da iawn,' meddai Cadi Goch. 'Fydd hi ddim yn cael ei thaflu allan o'i chartref, felly.'

Edrychodd ei thad arni'n syn.

'Ers pryd wyt ti'n becso am Mrs Jarvis?' gofynnodd.

Yna, pwyntiodd trwy'r ffenest.

'Mae Tractor ar ei ffordd lan ar gefn ei beic. Wedi seiclo draw o Bont. Pam bo' nhw'n galw hi'n Tractor, gyda llaw?'

Edrychodd y ddwy Cadi ar ei gilydd.

'Stori hir!' meddai'r ddwy fel un.